U0152112

香港
猛鬼札記

進入恐怖心寒的迷離世界

　　《網絡靈異故事專集》系列第一期由二零零六年創刊面世，迄今已十多年，堪稱香港長壽的鬼書期刊，涉及的題材非常廣泛，有學校鬼故、猛鬼職業、凶宅惡魅、都市異聞、降頭邪靈等等，自出版以來一直深受讀者的喜愛，部分期數即使再版也差不多售罄，讀者想補購也不行，在此萬分多謝讀者的支持！

　　為了滿足讀者的要求，編輯部特意將《網絡靈異故事專集》重新修訂，全新打造成《香港猛鬼札記》系列，好讓年青的讀者也可欣賞得到，希望大家喜歡。

　　打開本書，一齊進入令人心顫膽寒的猛鬼迷離世界，與惡靈對話！你心臟負荷得了嗎？夠膽接受這挑戰嗎？

香港
猛鬼 札記。拾
香港索命猛鬼回魂夜

書名：香港索命猛鬼回魂夜
作者：鬼差
出版：靈媒體 (超媒體出版有限公司)
地址：荃灣海盛路 11 號 One MidTown 2913 室
出版計劃查詢：(852) 3596 4296
電郵：info@easy-publish.org
網址：http : //www.easy-publish.org
香港總經銷：香港聯合書刊物流有限公司
圖書分類：靈異故事
國際書號：978-988-8700-20-2
定價：HK$68

Printed and Published in Hong Kong

CONTENT

回魂夜探秘

帶你走進回魂夜的猛鬼世界

CONTENT

回魂夜探秘

「回魂夜」真相大公開

「伙居道士」，又稱「喃嘸先生」（俗稱「喃嘸佬」），很多人以為他們的職責只限於在殯儀館內為死者頌經、進行「破地獄」儀式，好像非常輕鬆。其實，一場完整的法事功德，主要具備有經文、音樂以及敲擊三大架構。而在法事中，道士須開壇灑淨、請神、發放文意、啟靈、開光牌位、帶亡魂遊十殿等十三種儀式，實在不簡單。道士亦會被請到各個不同的凶宅、凶地為亡靈超渡，亦經常需要替死者家屬「拜回魂」，見盡很多不同死相的亡靈。

本書作者忠叔從事「喃嘸佬」一職已經超過二十多年，曾為多位已故名人家屬辦理喪事，亦經常被各大地產公司邀請到凶宅為亡靈超渡，耳聞目睹的詭異經歷更可謂多不勝數！根據忠叔的經驗，最常「出事」就是「拜回魂」當晚。「回魂」當晚，種種不可想像、詭異恐怖的怪事，都有可能發生！例如死者家屬往往會因忘記或搞錯死者「回魂」的祭品和細節而冒犯死者和牛頭馬面，結果惹鬼入室，晚晚被鬼搞！他會將入行以來的親身經歷及詭異恐怖見聞

一一披露。

　　但有感一般人對於「回魂夜」一知半解，故此在忠叔講述不同的經歷之前，小記為了令讀者更明白有關「回魂夜」的一切，專程走到忠叔的道堂，訪問忠叔，實行將有關「回魂夜」的一切資料大公開！

記：記者　　忠：忠叔

記：忠叔您好，根據傳統習俗，死者一般會在「回魂夜」返家「探望」家屬，咁實情係點㗎？

忠：「回魂」就是中國道教的傳統儀式，又稱「回煞」。死者赴陰間前思念親戚，靈魂會於死後第九至十八日，由「鬼差」和祖先相伴回家。第一晚稱為「私歸」，死者可自行決定回不回來；第二晚則為「正歸」，有「凶神」（牛頭馬面）和「煞神」（黑白無常）陪同，天一亮便要隨之上路，與陽間的親人永別。

記：咁點解有些死者能夠避開牛頭馬面，化成厲鬼，向仇家進行報復嘅？

忠：因為有些枉死人士怨念太大，連牛頭馬面都捉不著它

們，令它們可以獨自回來進行報復。有些死者報復唔成功，將會留於人間，直至「尾七」那天被牛頭馬面帶走。如果執念太大甚至會留到報復成功為止。另外，沒有家屬招魂、收屍安葬，甚至無人安置的死者會無法經歷「回魂」，及不能赴陰間輪迴轉世㗎！

記：忠叔呀，你頭先提過「尾七」，咁其實「頭七」、「尾七」和「回魂夜」有甚麼關係？

忠：嗱，其實「回魂夜」和「頭七」、「尾七」是兩種不同的儀式！由於死者要過了第六日晚上十一時才知道自己已經往生。所以，要到了第七日才可以正式接納

▲回魂夜，要準備好餸菜，待亡靈回來享用。

家屬的香火及拜祭，故第七日稱為「頭七」。傳統來說，家屬在死者往生後每七天都應到道堂進行打齋、超渡儀式，或於家中為死者設祭品、香燭，拜祭一番；直到第四十九日，可將陰宅等焚燒，供死者陰間居住，完成整個儀式，該日稱為「尾七」。但是現代殯儀已將程序簡化，「頭七」、「尾七」都會一次過於殯儀館完成。

記：原來係咁！呀，我聽說過每個死者的「回魂」日子各有不同，係咪有特別的算式可以計出來？我相信好多讀者都想知道，麻煩忠叔你講解一下！

忠：我簡略講俾你聽啦！人死後，魂魄會暫時分開，魂會留在地面，魄則鑽入地下。所謂「魂頭高度」，便是魄鑽入地下的深度。

根據不同的死亡時辰，配合天干地支及空亡推算，每一位死者的「回魂」日子、時間、路徑方位和「魂頭高度」也不盡相同。就咁講你很難理解，不如我寫給你看啦。

天干地支計算方法如下：

天干：

甲／己：九尺

乙／庚：八尺

丙／辛：七尺

丁／壬：六尺

戊／癸：五尺

地支：

子／午：九尺

丑／未：八尺

寅／申：七尺

卯／酉：六尺

辰／戌：五尺

巳／亥：四尺

空亡表：

甲子、乙丑、丙寅、丁卯、戊辰、己巳、庚午、辛未、壬申、癸酉：以上十日的空亡地支為戌亥

甲戌、乙亥、丙子、丁丑、戊寅、己卯、庚辰、辛巳、壬午、癸未：以上十日的空亡地支為申酉

甲申、乙酉、丙戌、丁亥、戊子、己丑、庚寅、辛卯、壬辰、癸巳：以上十日的空亡地支為午未

甲午、乙未、丙申、丁酉、戊戌、己亥、庚子、辛丑、壬寅、癸卯：以上十日的空亡地支為辰巳

甲辰、乙巳、丙午、丁未、戊申、己酉、庚戌、辛亥、壬子、癸丑：以上十日的空亡地支為寅卯

甲寅、乙卯、丙辰、丁巳、戊午、己未、庚申、辛酉、壬戌、癸亥：以上十日的空亡地支為子丑

各地支對應的時辰及方位

子時為 11:00 p.m.-12:59 a.m.　　：正北

丑時為 1:00 a.m.-2:59 a.m.　　：東北偏北

寅時為 3:00 a.m.-4:59 a.m.　　：東北偏東

卯時為 5:00 a.m.-6:59 a.m.　　：正東

辰時為 7:00 a.m.-8:59 a.m.　　：東南偏東

巳時為 9:00 a.m.-10:59 a.m.　　：東南偏南

午時為 11:00 a.m.-12:59 p.m.　　：正南

未時為 1:00 p.m.-2:59 p.m.　　：西南偏南

申時為 3:00 p.m.-4:59 p.m.　　：西南偏西

酉時為 500 p.m.-6:59 p.m.　　：正西

戌時為 7:00 p.m.-8:59 p.m.　　：西北偏西

亥時為 9:00 p.m.-10:59 p.m.　　：西北偏北

舉例來說，如果一個人死於二零一一年四月二十九日，該日為甲寅日，那麼它的「魂頭高度」將會是九尺（甲）加七尺（寅），合共一丈六尺，即代表魄會

鑽入一丈六尺的地下，而魄會以一日一尺的速度回升
至地面。故此魄會於死後第十六日與地面的魂再次會
合，回家見親人最後一面。所以，它的「回魂夜」便
是死後第十六日。

而在空亡表中，甲寅日為子丑，即代表它會於晚上
十一時正北方（子）「回魂」，並於凌晨一時在東北
偏北方（丑）離開。

記：好詳細喎！咁我之後咪可以根據你的公式來幫人計「回
　　魂」囉！

（忠面色一沉，大聲道）

忠：……喂！你千萬唔好亂試……萬一計錯了、拜錯日期
　　就會出事㗎啦！如果親人去世，一定要搵有道行的道
　　士幫手計，切記不要由你自己幫人亂計呀！否則害人
　　害己呀！我遇過有個女人就係亂幫人計，結果拜錯日
　　期，害到死者入不到屋，見唔到家屬最後一面！又有
　　見過招錯野鬼入屋，仲差啲趕唔走隻嘢呀！

記：嘩！好得人驚呀！這裡也奉勸各位讀者，切勿亂試！
　　不過忠叔，你剛剛有提到魂和魄，其實不少人也分不
　　清楚三魂七魄是甚麼東西，可不可以順道解釋一下？

忠：嗱，，所謂三魂，就是靈魂、覺魂、生魂。分別主宰人
　　的意識、善惡羞恥和壽命。人死後生魂會消滅，覺魂
　　還留在人間，靈魂就依因果循環六道之中輪迴。人若
　　做善歸神，靈魂和覺魂就會合一；靈魂若有毛病，例
　　如有些人撞鬼，被勾走魂魄，人就會痴痴呆呆。覺魂
　　若有毛病，人就會發瘋，神經就會散亂，不知道羞恥，
　　容易有亂倫之行。生魂若有毛病，人就容易生病。
　　而天地萬物皆有魂，植物只有生魂，沒覺魂和靈魂，
　　畜生有生魂和靈魂。

記：聽起來很有趣呢，哪七魄呢？

忠：七魄是指喜、怒、哀、懼、愛、惡、慾，生存於物質中，
　　所以人身去世，七魄也消失於人間。

記：原來如此！對啦忠叔，咁一般的「回魂儀式」中家屬
　　需要準備甚麼？

忠：喔！好簡單啫！儀式當中，家屬須於晚上十時三十分
　　前，於大門外點一枝粗香及洋燭、燒掉三份元寶、把
　　家中曾開光的神像用布掩蓋，以及在死者家中客廳擺
　　放一桌飯菜，放置一個鐵罐做香爐，點上一枝粗香，
　　象徵亡魂在上路前宴客道別。

記：咁喺「回魂」當日，家屬是否一定要待在家中？如果有事外出，會唔會影響到死者㗎？

忠：其實「回魂」當日，沒有硬性規定家屬是否需要逗留在家中。但係在「拜回魂」後，如果要離開房間，一定要把床頭的硬幣、剪刀或利器拋到地上，提醒死者和「鬼差」迴避。

記：咁家屬需唔需要特別準備甚麼飯菜呢？

忠：嗯，首先飯菜中的器具全需準備三份，而選用的餐具杯碟和白色膠檯布須為即棄。至於酒水方面，其實無特別指定是米酒白酒，可以擺放死者生前喜愛的酒類，即使是紅酒也可以，但杯中酒水必須滿。餸菜數目一般為五個，一般包括一條煎香的鯪魚、一碟齋菜，以及去殼的熟鴨蛋等。按傳統的說法，若亡魂曾回來，鴨蛋的表面會留下亡魂的印記。當然，亦可以包括死者喜愛的東西，葷或者齋都可以，需要視乎死者生前的習慣或喜好。

記：我喺電影睇過，可以撒些米在地上，測試一下死者是否有回來，究竟係唔係真嘅？

忠：梗係真啦！家屬可於屋內四周和大門地上撒香爐灰或
小米，藉以測知死者有否回來。另外要記住，在儀式
完成後，所有在家的家屬要於十一時前睡覺，並將硬
幣、剪刀或利器放於床頭。到早上起床後，親屬應先
把硬幣、剪刀或利器拋到廳才踏出房門，避免仍有「凶
煞神」停留於屋內，此舉稱為「出煞」。最後家屬需
要在看過桌上東西後，再燒一份元寶，然後把儀式中
使用過的東西全部掉棄呀！

記：咁如果我喺親人「回魂夜」當晚覺得悶，可唔可以搵
朋友返嚟打麻雀？唱卡拉 OK 得唔得呢？

忠：你咪咁做！過分的喧嘩很不尊重死者！如果嚇到死者
和牛頭馬面，分分鐘嚇到它們過門不入，家屬會見不
到死者最後一面！仲有要注意的是，在「回魂夜」當
晚，家屬即使聽見房內、外有任何風吹草動，都不應
走出房外察看，或者開眼觀望，以表示對死者的尊重。
同時，如果死者看見親屬仍在活動時，可能會依戀人
間，阻礙輪迴。
由於死者魂魄返家之日會有「鬼差」隨行，故生人有

必要迴避一下，免得發生衝突。喺之前都講過，如果真的需要下床或離房走動時要把床頭的硬幣、剪刀或利器拋到地上，提醒死者迴避。而在飯菜當中不可以含牛肉及馬肉，以免對牛頭馬面不敬。

記：明白哂，我諗經過忠叔的解釋後，讀者對「回魂夜」了解深很多啦！最後小記就想問一個問題，好多人都話死者喺「回魂夜」會化成飛蛾，其實是否真實？死者又會唔會化成其他昆蟲？

忠：呢個講法係真㗎！飛蛾是帶領死者上路的昆蟲，一般死者如果未能以真身出現，又想俾家屬知道它回來了，大多都會化身飛蛾。如果在「回魂夜」當晚見到飛蛾等昆蟲在家中徘徊，千祈唔好打死或捉走牠們，以免死者不能歸返陰間。

另外，於靈堂或墳場內見到嘅所有動物都可能係死者的化身，無論蝴蝶、飛蛾、螞蟻、甲蟲等等，都不宜傷害。否則得罪先人，就後果自負啦！

注意：以上的對話純屬忠叔個人意見，不代表本社立場。如果大家對回魂夜的儀式有任何疑問，應該請教有道行的法師。任何人/公司因本書的內容資料而產生之損失或損害，本公司一概不負上任何法律責任。

全球各地的「勾魂使者」

中國——牛頭馬面、黑白無常

1. 牛頭馬面：牛頭源於佛教。《五苦章句經》：「鬼將名阿傍，牛頭人手，兩足牛蹄，力壯排山，持鋼鐵叉。」《鐵城泥犁經》則指出：阿傍生前因不孝父母，死後在陰間被處罰，變為牛頭人身的差役，負責巡邏，捉拿逃跑的鬼魂。馬面源流不詳。有人認為，它是馬頭人身的羅剎惡鬼，在地獄裡負責管理為惡的鬼魂。

▲黑白無常會在人死時被閻王派來勾攝靈魂，而牛頭馬面則會帶生前作惡的亡魂赴陰間，執行刑罰。

也有人說「馬面」是佛教「馬頭明王」的化身，負責保護地獄安全，但其實兩者跟馬面的形象相差甚遠。它們是負責在「回魂夜」帶亡魂赴陰間，及把守地府中奈何橋的神明。當生前犯罪的鬼魂通過，它們會把鬼魂推落橋下，讓橋下的毒蛇、怪獸吞噬。

2. 黑白無常：白無常名為謝必安，身材高瘦，面白。黑無常名為范無救，體態短胖，面黑。謝必安和范無救是衙門差役，有一次在押解要犯途中被要犯脫逃，二人商議後分頭尋犯，並約定在橋下會合。不料到了約定時辰，謝必安因大雨耽擱，無法趕到橋下會合。范無救在橋下枯等，見河水暴漲，仍不敢離去，怕失信於人，最後溺斃橋下。後來謝趕到，見范殉難，痛不欲生，於是上吊自盡。二人仙逝，玉皇大帝感念其信義，乃冊封二人為冥界大神。此二神會在人死時被閻王派來勾攝靈魂，所以它們又叫做「勾魂息」。

古埃及——阿努比斯

由於人們常在墳地看到胡狼拖出屍體，直覺認為牠與人死後遭遇有關，因而生敬，認為死神應為是胡狼頭人身。

▲阿努比斯是冥界判官,亡靈的守護者。

阿努比斯負責將死者的靈魂與象徵正義的「瑪特(Maat)的羽毛」在天秤上對比。如果靈魂與羽毛一樣輕,或比羽毛還輕,阿努比斯就帶它去見冥王歐西里斯,否則會將它餵給一隻長著鱷魚頭、獅子的上身和河馬後腿的怪物「阿米特」(Ammit)。

日本──屍鬼

屍鬼是被吸血鬼吸乾血的人,變成僵屍後沒有任何意識,靈魂被吸血鬼奪走,只會聽從吸血鬼的話。之後,它會吸乾別人的血,令那個人也變成屍鬼,被它奪走靈魂。

歐洲──死神 (Death)

　　另稱 Grim Reaper，意指「猙獰無情的收割者」。相傳它是撒旦的僕人，在歐洲文化的形象中，它大多以黑袍、骷髏、大鐮刀的形象出現，它會前來拘提即將死亡者的靈魂。鐮刀是用來割取麥穗的農具，象徵「收割生命」，是農業文明的一種附會。

▲ Grim Reaper 會以黑袍、骷髏、大鐮刀的形象出現，若它在你面前出現，意味著你死期將至。

古希臘——塔納托斯 (Thanatos)

　　塔納托斯為黑夜女神尼克斯 (Nyx) 之子，和哥哥睡神修普諾斯 (Hypnos) 一起住在冥界，是一對影形不離的攣生兄弟。塔納托斯和修普諾斯都長得優雅帥氣，其中死神還跟愛神邱比特一樣，長有一對翅膀，只是顏色是黑色的。

　　塔納托斯暴躁並極端蔑視人類，冷酷無情，不管敵人離他多遠，他都可成功殺死對方。塔納托斯的職責是攝走

▲ Thanatos 長有一對黑色的翅膀，它冷酷無情，職責是攝走人類的靈魂，帶返冥界。

人類的靈魂，帶返冥界，再讓靈魂於一個稱作「亡者平原」的地方永遠遊蕩，只有少數受到引導的亡魂會進入到樂園「艾琉西奧」中生活。

伊斯蘭教——亞茲拉爾 (Azrael)

另稱作 Azrail、Ashiriel、Azriel。亞茲拉爾屬有四顏四翼，身體上披滿了毛皮，毛皮下是無數眼睛，每一個都注視著世間每一個人。在伊斯蘭教中，亞茲拉爾是使靈魂脫離身體的天使，所以被人稱為死神。所以，成語「the Wings of Azrael」的意思就是指「死亡即將來臨」。

當毛皮下注視著人的眼睛閉上的時候，也就是那個人要死亡的時刻。

另一個說法是它會將所有人的名字都寫在天神座椅後的生命之樹的葉子上，當有人將死，該葉便會枯萎掉落。只要它念出葉上的名字，那個人將會於四十天後死亡。

带你走進回魂夜的
猛鬼世界

遺照的獰笑

　　就本道士多年經驗所得，年齡尚小、因病而逝的亡者一般也會有較大的怨念，皆因他們對現世仍充滿留戀，因此他們在回魂夜的表現會比一般的激烈。大學學生阿傑的小叔叔在前一陣子因重病離世，那場喪事由我負責的。喪禮完畢後大概兩個月，正當我在殯儀館準備下一場法事時，阿傑走過來搭話，抱怨自己有了一個恐怖的經歷。

　　事緣，阿傑在他的小叔叔「回魂」當晚留在家裡陪著嬸嬸，她提早回房休息了，而他沒有。他坐在沙發上，注視著撒了小米的地板，據說這樣可以看到叔叔回來的路徑。由於叔叔是凌晨零時離世的，因此隨著時鐘的指針愈來愈接近凌晨零時，阿傑非常緊張，心裡不禁發毛起來。終於，踏正零時，可是甚麼事都沒有發生。就在此時，放在茶几上裝滿開水的茶壺卻突然好像水滾了一樣，壺蓋不停上下跳動，但當時茶壺根本沒有插上電源。

遺照盯著他邪笑……

　　看著那個茶壺，他愈想愈害怕，一怒之下把裡面的水

倒掉。可是它安靜了一會，又動了起來！直覺告訴他是叔叔回來了，他的身體像重感冒的抖著，想把嬸嬸叫出來陪他一起，正準備起身時，抬頭一望，天哪！掛在牆上的叔叔遺像，竟然在盯著他邪笑！他不顧一切的往嬸嬸的房間衝去，把她叫起來。但嬸嬸好像一點都不害怕，還想走出去把他的叔叔留在家裡一樣！他害怕得用被子包住自己，可是當嬸嬸再回來時，她告訴他那張遺像沒有奇怪的地方！

　　他的叔叔生前明明對他很好，因為叔叔最疼愛他了，怎可能會做出這種事來！叔叔很清楚他最害怕的就是這些「玩意」的，怎會專門嚇他一個！正在埋怨中的他卻發現他撒在地板上的小米，莫名其妙的出現了幾個不屬於他和嬸嬸的大腳印⋯⋯

晚晚入夢，滋擾生活

　　好不容易度過了一晚，阿傑一直沒有合上眼睛，因為他仍然十分害怕。到第二天他才能睡著。可是奇怪的事情並沒有結束，之後一星期，他幾乎每天都夢見他的叔叔。為了晚上不再做到這些夢，他還特地跑到廟宇求了一個護

身符，買了一把大大的紅剪刀！到晚上睡前把護身符帶在身上，把大紅剪刀張開放在枕頭底下壓邪，可是沒過一天，叔叔又再出現在阿傑的夢裡，臉上還帶著一個猙獰的笑容！

隨著夢見叔叔的日子越來越多，他猜想叔叔是不是要把他帶走呀，心裡面一天到晚胡思亂想！身體只有一點不舒服，就會覺得是不是生了甚麼重病，然後就會死去。

半夜鬼壓床

直到一個更怪的深夜，他整晚處於那種半睡眠狀態中，一直感覺到有人在他的左腳邊上坐著。一開始以為是家裡養的那隻貓跑到床上來了，就用力掀了一下，可是那個東西還是壓在左腳上，很不舒服。但打開燈一看，甚麼東西都沒有在腳上！他聽到一種很沉重的呼吸聲在他的四周。終於到早上，他感覺腳上的重力消失了。

過後，他再沒有夢到他的叔叔。基於好奇，他跑去日曆前數數日子，原來那天晚上正是他叔叔死後的第四十九天，也就是「尾七」的那天，他的叔叔被牛頭馬面帶回陰間了。

凌空的鐵鏈

筆者從事道士多年，經常要為死者親屬推算「回魂」的時間和方位，確保親屬們能夠回避，避免與死者鬼魂直接接觸，一來可以令親屬不會受驚，二來亦不會令亡者依戀塵世、阻礙輪迴。早前，有一名相熟的行家阿峰沒有向客人清楚告知死者「回魂」的路途，結果被死者家屬投訴，成為了行內的負面例子。

以下是阿峰被投訴的情況：

話說，Jack 的爺爺死了。阿峰推斷出他的爺爺會在過世後的第九天夜晚子時三刻「回魂」，方位是由西方入，東南方離開；但卻沒有指出 Jack 父母的房間正是死者離開的東南方，不適宜有人逗留，以免受驚。

由於爺爺的生肖與他的父母相沖，因此父母必須離家迴避。而 Jack 的八字沒有相沖，當晚可以留在家裡。Jack 為了壯膽，馬上找了朋友 Tom 相伴。父母房間是唯一有冷氣的房間，他們又不知道這是禁地，所以他們正正選擇在該房過夜。

結果，就出事了——

寒氣迫近、鐵鏈聲拖行……

Jack 父母在「回魂」當晚約於十時左右離開往酒店暫住，只餘下兩人留宿。大概十一時，兩人已經急急上床睡覺。在之前他們不敢喝太多水，以免要半夜離開睡房，跑到廁所小便。離奇的是在這種恐怖的處境下，他們都很快睡著了。沒過多久，Jack 因房屋變得愈來愈冷而驚醒過來。本以為是冷氣的問題，之後他意識到那陣的寒氣是由客廳飄進來，而且還有斷斷續續的鐵鏈聲，從門外的走廊拖行而至！

父母的房間與走廊相距甚遠，而且相隔數道門，理應聽不到外面的聲音，但鐵鏈聲仍一響一響的傳進房內，而且一聲比一聲接近。他那時已知道是爺爺「回魂」，恐懼得大被蒙頭、緊閉雙眼不敢偷看。

鬼手摸臉

「回魂」的整個過程，Jack 都聽得清清楚楚。首先是停在大廳中間。大約十分鐘後，又開始往他的房間移去。

可能是因為 Jack 不在的緣故，鐵鏈聲很快便轉往父母的房間。鐵鏈聲從房門進來，停了一會之後，竟慢慢從他的頭頂掠過，似乎打算從窗口離去。過了大約五分鐘，他再聽不到任何聲音，才敢打開被子觀望。在這一瞬間，他竟看見一條約兩呎長的鐵鏈，正凌空懸在自己的頭頂，就像是爺爺離開前希望多看孫子一眼一樣！

他害怕得想尖叫起來、拔足而奔，可是身體完全動彈不了！懸浮在半空的鐵鏈突然動起來，愈來愈接近他，然後他感覺到有一雙冰冷的手撫摸他的臉！一分鐘後，那種觸感才消失，那條鐵鏈亦緩慢地飄出窗外。

第二天早上，當父母回家後，發現 Jack 和 Tom 的臉色十分蒼白。父母追問下，他全數告之，而 Tom 亦說見到有一條鐵鏈飄過，但由於太過驚慌，連動也不敢動，一直等到天亮才敢起身。

鬼嬰「回魂」惡作劇

三年前，慧慧在辦公室中發生意外，使得肚內胎兒胎死腹中。慧慧傷心不已，留在家休養。她以為懷孕三月，胎兒尚未出生，不用處理「回魂」等情況。結果，以致公司怪事頻生，同事不斷受嚇⋯⋯

電梯鬼嬰作祟，照明燈亂閃

在發生意外後第九日，慧慧的主管 Jacky 在八時多離開公司，到樓下餐廳買外賣回辦公室。進入電梯後，他按下公司所在的「八樓」掣。結果在電梯上升期間，上方的電燈好像壞掉一樣不斷有規律地閃著，他忍不住抱怨：「一會要向樓下保安——」

突然，燈開始不規律地狂閃起來，好像在向他示意不要這樣做。他馬上嚇得不斷按最近的樓層掣和求救掣，但離奇的是每按一層，掣上的燈也馬上熄掉，亦換不來保安的任何回覆！最可怕的是，當電梯上升到七樓時，那排按掣的燈又突然一個接一個的亮起來，頭上更傳來嬰兒「咯咯咯」的笑聲，詭異得令他心寒起來。

電梯門在到達八樓才開，Jacky 急著跑出去，踏入公司馬上亮起所有燈。奇就奇在當他走到每一個光管燈盆下，上方的燈盆會先亮一秒，然後好像有東西蓋著一樣霍然變暗，而嬰兒的笑聲亦沒完沒了的響著，不時還有回音傳來，使氣氛更陰森恐怖。他跑回自己的座位，手忙腳亂地把桌上所有文件塞進袋裡，趕快乘另一部電梯離開。

在電梯關門前，他清楚看到電梯門外有一個嬰兒坐在地上，臉帶笑容的對他揮手道別……

「鬼差」追著唔放，女工驚慌逃命

清潔女工嫻姐向來也是九時過後才進行清潔，在 Jacky 遭遇怪事後的晚上她亦被嚇到翌日馬上辭職，不敢再在此公司工作。

說說，嫻姐那天如常在九時過後開始抹窗，在她抹掉泡沫過後，從窗內反射中驚見一個牛頭人身、一個馬面人身，身穿古代官服站在自己身後。她以為是自己眼花，揉眼後再望，牛頭人身和馬面人身的影子仍在窗內出現！她心想著自己一定是「時運低」才看到「鬼差」，當睇唔到

就無事發生。所以她冷靜地轉身走向茶水間抹枱，結果才走到走廊，就聽到身後有腳步聲跟隨她！

她嚇得「三魂唔見七魄」，跑向大門，打算逃出公司。哪料背後的牛頭馬面也追著她跑，一邊跑一邊叫著她的名字。

「不要拉我入地府、不要呀！」她尖叫逃跑，但「鬼差」仍然叫著她的名字，像要留她在公司一樣。幸好，她趕在牛頭馬面衝過來時入電梯關上門，逃離了這座大廈。

「鬼差」放任鬼嬰鬧事

自此之後，公司鬧鬼傳聞滿天飛。有人見到嬰兒晚上在廁所爬行，又有人不時聽到嬰兒的笑聲。公司高層為怕事件愈鬧愈大，向我道明情況，請我到公司辦場法事。

晚上，我準備好儀式的東西，準備會一會鬼魂。果然時辰一到，地板上的香爐灰出現一個接一個嬰兒的手印和腳印，還傳來一陣陣「咯咯」的笑聲，旁邊亦出現兩組成年男人的腳印。我馬上開始開壇作法，念經超渡，最後嬰兒和成年男人的腳步凌空消失，返回陰間。

翌日，慧慧銷假回到公司，跟同事說牛頭馬面帶著嬰

兒入夢，跟她說因她沒有在「回魂」當晚點燭招魂，沒法帶嬰兒回家，故他們刻意放任她的嬰兒在「回魂夜」後於公司鬧事，希望引起注意，至少公司能請道士來超渡，讓嬰兒趕在「尾七」之前上路，早日投胎找另一戶人家。

　　本來同事們也不相信她，但在過後公司真的沒有再出現任何鬼魂鬧事，大家才相信日前發生的事，只是她的孩子的惡作劇而已。

▲回魂夜，要準備好餸菜，待亡靈回來享用。

紅衣厲鬼執念復仇

「喃嘸佬」並非如一般人眼中那麼自閉、古板，我在下班後亦會像一般人一樣玩 Facebook、IG，與其他行家連絡、交流心得。近日，幾位行家討論為情自殺的鬼魂的執念有多大……

事情是這樣的：

留下血書，誓言報復

半年前，內地一間大學有一少女為情自殺。死者叫 Kelly，是學校校花。James 跟房友打賭要把她追到手，最後，James 終於奪得芳心。可是，他始亂終棄，在成功後立刻拋棄，使她大受打擊，精神崩潰。連續一星期裡，她都對著宿舍的鏡子用力抓傷自己的臉，又用力拉扯頭髮，瘋瘋癲癲地自言自語：「我要你死，我做鬼都唔會放過你。」

平時 Kelly 恃靚行兇，跟室友阿恆和阿清的關係一向很惡劣。此際，即使 Kelly 哭得呼天搶地，室友們都沒有出言安慰，反而嘲笑她自作自受。Kelly 孤立無援，留下

遺書自殺了!

　　自殺當晚,她穿著紅衣到了花園用 刀在手上用力割上 James 的名字,血如噴泉般湧出來,再用粗麻繩吊頸自盡。室友趕來時 Kelly 已返魂乏術。最可怕的,是底下的血泊居然工整地組成了六個大字:下個輪到你們!她們尖叫著、嚇得快暈過去。誰都沒注意到在樹上,Kelly 的頭望著她們,露出令人毛骨悚然的笑容……

　　學校一片愁雲慘霧,當中,阿恆每晚都被 Kelly 用頭髮纏住勒死的夢境嚇醒,一直冒冷汗。在 Kelly 死後第十日,阿恆和阿清連睡也睡不了,坐在床上發呆。到凌晨一時,阿恆突然發出一聲尖叫,撲向阿清。阿清嚇到雙眼發直,用力推她到地上。

　　「妳發什麼瘋啊?!」

　　神經兮兮的阿恆雙手摀住耳朵,不停搖頭,嘴巴一直重複地念著:「腳步聲!『回魂』……今天一定是 Kelly 的『回魂夜』!她回來找我們了!」

　　突然,敲門聲響起了,兩人都害怕得全身顫抖起來,把被子拉緊。

電腦螢幕現血臉

　　敲門聲一直持續，兩人決定一直裝死，當作什麼也沒聽到。霎時，一把陰森的女聲在她們身後說：「躲起來也沒用喔……」她們一同發出慘叫聲，阿恆仍然搗住耳朵，慌張地說著：「對不起，我不應說你壞話，放過我們吧！」

　　終於敲門聲停下來，阿清和阿恆以為自己已經安全時，冷不防沒有開著的電腦螢幕突然閃出 Kelly 那張充滿血痕的臉，臉上帶著一個詭異的笑容。她們的瞳孔同時放大，放聲尖叫著，推開對方爭相跑出宿舍的門，可是門怎樣也開不到！螢幕上的鬼魂發出「嘿嘿嘿嘿」的大笑聲，她們已經崩潰得無力再衝門，跌坐在門邊不敢回頭面對螢幕畫面。

　　突然，Kelly 的臉就印在門上，更狠狠對她們說：「我說過，下個輪到你們喔……」

負心漢口吐黑髮，一夜瘋癲

　　第二天早上，有人發現阿恆和阿清被綁在 Kelly 自殺的那棵樹下，臉上被抓滿血痕、口中不斷念著「對不起，

是我錯，求你放過我」。Jame 和室友阿進見狀也被嚇得面無血色。James 心想：一定是 Kelly 回來報仇……

這夜，James 和阿進都無法入睡。忽然阿進提議玩紙牌以緩和緊張的情緒。就在此時，一把女聲從外邊叫進去，「James 你這個負心漢，給我滾出來！」

這把聲音不就是 Kelly 嗎！James 嚇得近乎歇斯底里的程度，他跌跌撞撞地摔在窗前，結結巴巴地說：「不、不可能，她不是死了嗎！」

阿進顧不了義氣把 James 一手推出門外，任由 James 在門外不斷拍門、尖叫和求救。

好不容易天才亮起來，James 被發現瑟縮一角，雙眼瞪大，佈滿血筋。雖然口裡已塞滿頭髮，但他仍抓起地上的頭髮不停地往嘴裡塞。嘴角早已爆出血痕，但他仍懵然不知，只吞吞吐吐地說出：「不……不要殺我……不要殺我……」

以牙還牙懲兇

前文亦有提及過枉死的人往往會留在人間，等待報復的機會，剛好我有一個滿深刻的經歷可以跟大家分享。雖然距離現在已經有十多年，但我每一次回想時都不禁抖了一下。

十多年前，我和師弟阿峰跟隨師傅景爺到湖南省某個小鎮為一家人推算「回魂」日子。我和阿峰覺得很奇怪，為何這麼簡單的工作居然要從香港聘請三位道士呢？果然「冇咁大隻蛤乸隨街跳」，到步後，果然這份工作沒那麼簡單……

死者叫阿敏，家人覺得它不是死於意外，聽說「回魂」當晚有冤情的死者會向家人訴苦，他們都十分害怕，所以請我們作法，跟阿敏通靈對談。

當晚，死者家屬早去迴避，留下了我們一行三人。我們額外準備好布紗，方便我們可間接與它對談。當然，為了向客戶證明她的到來，我們灑了一些香爐灰到地下。時辰一到，本來風平浪靜的天氣驟變，窗外的天空突然烏雲密佈，外面刮起陣陣強得發出嗖嗖聲響的陰風，不斷拍打

著窗戶和大門。最後，天空更響起幾道旱雷！當年年資尚淺的我和阿峰難免有點緊張，景爺訓斥我們說：「專業點！」不過，這無助減輕我們緊張的情緒，手腳仍不住地輕微發抖著。

「回魂」夜女鬼哭訴遇丈夫殺害

門外開始傳來「鏘鏘、鏘鏘……」的鐵鏈聲，離我們愈來愈近。此時，我們透過布紗看到一位婦人的身影，腳拖著鎖鏈走進來，它與阿敏的家人描述的特徵很符合。當它來到布紗前，停下來劈頭第一句就說：「我是被殺害的！」

我和阿峰嚇了一跳，即使是經驗豐富的景爺亦愣一愣，對它直接的控訴不能反應過來。最先回過神來的景爺對它說：「是誰害死妳？不是因為意外跌出車外而死嗎？」只見那個身影搖搖頭，憤怒地說：「我不是死於意外！是我丈夫殺死我的！我要報仇，你們一定要幫我殺死他！」

這種情況下我和阿峰哪敢接話，景爺也沒有開口。它以為我們不相信它，咔嚓一聲將自己的頭拉離身體，血肉分離，黑紅色的血濺滿一地，發出陣陣腥臭；它再用右手

拔掉左手，把手拋出，直線飛過布紗倒在我們身後。分體的畫面驚駭、噁心，使我們三人都嚇得腳快使不出力。

它將自己的死法重演一次，然後憤怒地說：「我是被那個人渣打斷頸骨、左手手骨，再推出車外而死的！你們不相信我嗎？」它說話的聲音真實、痛苦。腥臭味蔓延全屋，作為「新丁」的我和阿峰不斷吸氣來忍吐。景爺也不比我們好，臉色發白。

「我要報仇，他得要死！」它激動地說。

景爺無奈地搖頭，跟它說：「冤冤相報何時了呢？倒不如早日入土為安，提早輪迴找戶好人家吧。我們現在幫你打一場齋，讓你——」

道士談判失敗，女鬼殺氣衝天

霎時，整間屋的氣氛變了。一股陰風以女鬼為中心，像龍捲風一樣把屋內所有家具捲起來，「拜回魂」所用的祭品通通升起，摔到地上。香爐灰亦隨著木地板被捲起揚起來，使屋內沙塵滾滾，再也看不清楚它的身影。我和阿峰嚇得跌在地上，抓緊景爺的褲管，忍著不要尖叫出來。

突然，它的聲音陰沉起來，冷酷地說：「你們不幫我，

我自己去完成！」怨念使屋內的氣溫急降，中間的龍捲風愈演愈烈。不久，那股陰風停了下來，香爐灰亦重回地上。冷得發抖的我們清楚看到布紗後的身影捧住頭顱，拖著鐵鏈往大門走出去。我們鬆懈下來，放開景叔的褲管，軟癱在地上。景爺亦跌坐到地上，大呼一口氣。

我們不約而同地罵了幾句髒話。奇怪的是，景爺很快又沉默起來，不斷向我們使眼色。我們抬頭望向他示意的方向，才發現那隻被拔掉的手浮在半空，從我們的上方緩慢地飄出去⋯⋯

兇手遭報復，死狀恐怖

翌日，阿敏家人望見家中的家具全被摔壞，本想向我們追收賠償，但當看到門前的香爐灰堆積如小山，猶如被鐵鏈堆起來似的，紛紛一言不發，直接付錢讓我們離開。一年之後，我們從另一位行家口中得知同村的另一戶人家想請我們上去一趟。

原來，這戶人家的死者正是阿敏的丈夫。據知，他上吊自殺，卻無故頸骨斷裂，身首異處。最驚人的是，上吊當日正是阿敏的死忌⋯⋯

鬼上身「回魂」……

我自小便有「陰陽眼」，對於日常目睹靈體早已見怪不怪。不料這個遺傳也帶到年幼的女兒阿儀身上，但她的通靈感應比我的更嚴重，附近有什麼鬼魂「回魂」都很容易上她身，借她的肉體回去見親屬最後一面。這種事件已經發生過太多次，我和太太都習以為常，只好不厭其煩地一次又一次請它們離開。當中有一些例子滿值得分享：

例子一：窮困家庭長女略盡孝心

有一天，大概午夜十二時，我和太太正在客廳看電視。突然，熟睡的阿儀打開了房門，沒有看我們一眼就逕自跑去，把雪櫃所有能即吃的食物及飲品拋進膠袋裡，然後奪門而出。

我們已經猜到發生什麼事，於是攔住被鬼上身的女兒，猛力搖頭阻止「她」離開。「她」惱羞成怒，抓狂起來，尖叫聲吵得連鄰居也走過來拍門投訴。我們趕急對鄰居道歉，再安撫「她」的情緒。等平靜下來，「她」竟然跪下來，哭著向我們說：「對不起！因為屋企窮，家人一日只能吃

一餐，所以我想再盡最後一點孝心……」

　　我沉默了一會，開口說：「你告訴我地址，我明天把食物送過去吧。我女兒還小，不可能半夜出門的。」

　　「她」理解的點點頭，馬上把地址抄下，再向我們磕三個響頭，便離開了女兒的身體。翌日，太太帶著女兒到鬼魂所抄下的地址，看到一家四口住在板間房裡，個個骨瘦如柴，臉色蒼白的畫面後，太太也沒有多說一句，放下食物和飲品回家了。

例子二：三歲男孩哭鬧歸家

　　在阿儀六歲生日那天，她玩到很晚才願意上床睡覺。我們好不容易迫她睡下、正想踏出門後，突然她又睜大眼睛，大哭起來。

　　起初，我還以為她又在發脾氣，哄哄她就好，但她推開我，不斷說：「媽咪……我要媽咪！媽咪抱抱！」太太沒好氣的伸手過去，結果也被用力推開，不斷哭叫著：「妳是誰？把我媽咪還給我！我……我要媽咪抱！」我們才發現阿儀的「老毛病」又發作了……

　　我翻了一個白眼，太太靠在床邊摸摸她的頭，跟仍在吵鬧的小孩說：「告訴姨姨，你知不知道你住在哪？姨姨帶你回去好不好？」「女兒」點點頭，高興地說出地址。我伸手抱起「她」，跟「她」說：「叔叔現在就帶你回家，你要乖喔。」

　　我們跟著「她」指示的方向走，不消一會便到了目的地。那對年輕夫婦知道剛病死的兒子上了阿儀身，起初都不敢相信，直到兒子正確說出自己臨死前在病榻的情況，兩夫婦抱著兒子哭崩了。等到那對父母哄男孩的鬼魂睡著後，我確定他走了才把女兒抱回家。

例子三：母親最後的晚餐

　　最深刻的那次，是我的母親的「回魂」。我和太太並不希望阿儀留在家裡，可是弟妹們都覺得要是留阿儀在這裡，會有機會見母親最後一面。所以，少數服從多數，阿儀最終留在家裡。

　　果然，到晚上十一時，阿儀突然睜大眼睛，對我太太說：「家嫂，妳準備的東西不合我胃口呀！」我們便意識

到是母親上身了。我們見到八歲的「阿儀」走進廚房，準備煮飯，打算開口阻止。可是母親的鬼魂堅持要為我們煮下最後一頓飯，我們忍住淚水，只能站在廚房一邊，目睹「她」煮飯的背景。

　　等到滿滿一圍桌的菜弄好，「她」把碗筷準備妥當，讓我們一行七人圍在桌吃飯。在吃飯期間，母親左一句「以後不能再為你們煮飯了，吃多一點」、右一句「之後上班要俾心機呀，沒有我在身邊要萬事小心，不要受傷」，使我們克制不住，大哭起來。她馬上取笑我們還像個小孩一樣哭哭啼啼，常令老人家擔心。可是「阿儀」的眼淚也止不住，我們都衝去抱著「她」，跟她說不要擔心，早日投胎。

　　在吃飯過後，母親的鬼魂跟我們逐一擁抱後，才慢慢離開阿儀的身體……

冤魂仇殺

我對徒弟的要求一向很嚴格,「嫖賭飲蕩吹」皆不可!尤其是賭,更是萬惡之首。我從事道士工作多年,見盡許多人間悲劇,都由賭禍引起的。

以下就是一個例子:

阿偉一向喜歡到澳門賭錢,但賭運不佳。每一次賭到最後也欠下數萬元,被賭場的人押回港,迫他的女友 Elle 還債。Elle 每一次也被迫替他還債,甚至向銀行借錢。阿偉不知悔改,還愈賭愈大,最後甚至欠下幾十萬大耳窿數。

他知道這一次女友無可能清還到這筆巨債,得知債主 Joy 迷戀女友多時,居然把心一橫向債主提議以女友的身體還債!不知情的女友在一天下班路途上被幾個男人綁到車上,到步後 Elle 不清楚發生什麼事,到 Joy 告訴她男友為了賭債不惜讓她錢債肉償後,她傷心欲絕,但再多的求救和吼叫亦不可能改變事實,她被 Joy 強姦了。

她受不住被阿偉背叛的打擊,狼狼地離開被污辱的地點後,午夜十二時,她在家中客廳的牆上寫下「你哋唔會有好日子過!」的血書,服藥自殺。男友得知消息後,起

初後悔萬分，不斷自責，但後來又覺得是 Elle 自己想不通，與他何干？況且，他也不想要一個「骯髒」的女人在身邊。

血髮纏頸，追魂奪命

對於 Elle 自殺一事，Joy 並不知情。在「回魂」當晚，他留在公司處理文件。一到凌晨十二時，房中的燈馬上不斷閃動，他看著燈泡，心裡想著明明幾天前才換上新的，怎會又壞了？正低頭繼續工作時，赫然發現 Elle 站在房間正中間的位置！他看到它主動找自己，笑逐顏開。

「怎樣了？居然主動來找我，是否吃過翻尋味，想再跟我親熱啊？」Joy 猥褻的笑著，但過了一段時間後它仍一言不發，站著不動，在閃動的燈光下顯得陰森起來。突然，Elle 的頭髮瞬速增長，如箭般直飛向他，把他當作箭靶。他嚇得渾身發抖，尖叫逃離座位。但那些頭髮不願放過他，加速追逐他的身影！

「妳、妳到底是什麼？」他向 Elle 吼叫，Elle 仍目無表情站在原地。恐懼使他的四肢抽搐起來，跌跌撞撞的往辦公室的門走去。可是，它的頭髮不斷增長，封著他的去

路，不讓他踏出辦公室大門一步。

最後，一把黑髮纏上他的頸子，打了一圈，慢慢使力起來，活生生把他掐死。過程中，一陣瘋狂的笑聲響遍整間辦公室，Elle 的臉呈現出一個猙獰的笑容……

破口罵鬼，如同賭命……

同一晚，阿偉的腦袋一直有一把聲音提醒他，要他早點回家睡覺。大概一時左右，他突然感覺到有一雙十分冰冷、令他寒起來的手在掐他的頸！他張開眼睛，一張七孔流血、雙目無瞳的臉進入眼簾！他用盡力氣扳開那雙手，趕急跑出

▲懷著怨恨自殺的女鬼，在回魂夜怒殺仇人報復。

睡房，逃到客廳。他還未意識到是 Elle 的鬼魂作怪，心裡想著這個單位一直相安無事，為什麼要現在才會撞鬼？

「阿偉，你不認得我嗎……」Elle 的聲音傳入他的耳裡，他才反應過來，罵回去：「妳死了就不要回來纏著我啦！滾回去『下面』生活啦！」

Elle 染上血色的嘴角揚起來，使他的火氣上升，再破口大罵：「小小事就走去自殺，你這種脆弱的女人就算下一世投胎回來、再美也不要回來找我！」眼看 Elle 默默移動，他以為她會走，便鬆一口氣。可是，Elle 提起了一把水果刀，慢慢飄近他，說：「念著舊情，阿偉你不如自殺，下來陪我。」

他震驚得沒再開口說任何話，覺得 Elle 瘋了，決定直接走出屋外遠離她。Elle 搖搖頭，笑容逐漸擴大，說：「那我幫你一把吧！」水果刀馬上穿過阿偉的心藏，血無止地噴出，灑滿一地，當場死亡。

忠犬「回魂」抗賊救主人

近年，愈來愈多人把寵物當作朋友，或是兒女。所以，我和其他行家常接到為已死寵物超渡打齋的生意。在「回魂夜」，我們會建議客人離家避一避，以免被寵物的鬼魂跑動、撞門，甚至亂吠而受驚。不過多數客人都選擇留在家裡，希望聽到牠嬉戲的聲音，送牠最後一程。

這幾年，不論是網上、親友口述，說目睹寵物「回魂」的個案多不勝數，當中，我聽說過有一隻狗在「回魂夜」勇救主人、捉拿賊人，令我肅然起敬，畢生難忘。

詹伯年近八十，因老伴早死，跟唐狗阿毛相依為命。一人一狗相伴十五載，轉眼阿毛已到殘燭之年，百病纏身。雖然獸醫建議詹伯為牠打「安樂針」，可是他寧願把牠留在身邊，陪伴牠走最後一段路。過了一星期後的晚上，他親眼目睹著阿毛手腳乏力，連站起來的力氣也沒有，最後更口吐泡沫死亡。詹伯悲痛不已，找了一間善終公司把阿毛火化，帶著牠的骨灰回家。

大概過了十多天，詹伯如常地十時睡覺。在深夜時分，

他被客廳傳來的開鎖聲吵醒。他生怕有賊入屋,馬上提起床邊的拐杖,打算衝出去。可是,風濕使他的動作十分遲緩,甚至連下床也有困難!他愈來愈心急之際,突然有幾聲狗吠聲從客廳傳過來。詹伯放下心頭大石,覺得有阿毛在廳的話一定能擊退賊人,甚至忘了阿毛已經死了,哪會有狗在家發出吠聲呢?

詭異黑影擒賊

他對客廳大吼一聲,說:「對啦阿毛,咬住個賊唔好放,我宜家就打電話報警!」馬上,他聽到廳內傳來「汪」一聲的回應,以及賊人害怕的尖叫聲和被狗咬而發出的慘叫聲。在等候警察期間,他撐著拐杖,蹣跚地走出睡房。只見賊人被一層黑影壓著,不能動彈,兩邊腳也受傷了⋯⋯

詹伯驚訝地望著這個畫面,才想起阿毛已經死了,現在幫他捉拿賊人的豈不是牠的鬼魂嗎?他試探地說:「阿毛,是你嗎?」換來一聲狗吠聲。他沒有恐懼、驚慌,走去櫃子拿出一個阿毛生前最愛的皮球,拋向賊人的方向。黑影馬上跳了起來,叼著皮球回來。他便了解到這個黑影

真的是阿毛的鬼魂，「回魂」回家幫助自己。他接下皮球後，黑影便再回去咬著想逃的賊人。賊人看到黑影又壓上來，恐懼得暈在地上。

詹伯坐在沙發上，拍拍旁邊的座位，黑影便跳到沙發上，吠一聲。他們一人一狗魂一直坐在沙發上，一言不發，氣氛就像過去十五年一樣。直至窗外出現一陣白光，詹伯說：「不用擔心我，這個蠢賊暈了，趕緊下去陪著老太婆吧……」黑影發出「汪」一聲，靠近他。他感覺到臉被舌頭舔一舔，看到黑影跑向白光，消失了。

再等五分鐘，警察前來敲門，把暈倒的賊人抬走。在錄口供時，他把阿毛一事保密，馬上訛稱賊人一開鎖就暈倒。警察亦不相信賊人所說被黑影壓著不能動的鬼話，接納詹伯的口供讓他回家了。

血影尋親

我的父親在我十七歲那年已歸於塵土，一生沒曾享過兒女福。而且，在「回魂」當晚，我和弟弟甚至不孝得躲在被窩裡不讓他看到我們最後一眼，這是我們最大的遺憾。

父親是一個裝修師傅，生前開辦了一間小型裝修公司，養活一家七口。在我十七歲那年，他為一個私人樓單位裝修時，左右兩邊的員工一個打翻了天拿水、另一個不小心甩掉煙頭，燃起火頭。火勢瞬速蔓延，結果三人一同葬身火海。

家母看到父親被燒焦的遺體哀天叫地，其餘各人悲痛不已，菜飯不思，家中一片愁雲慘霧。我們在父親「頭七」前為他辦好喪事，道士跟我們說「回魂夜」將會是死後第十三日。由於父親死狀恐怖，當日我們最好先行迴避，以免受嚇。

我和弟妹尚未接受到父親的死亡，不希望留在家裡，見到父親的鬼魂。可是，母親認為當晚所有人也得要在家，免得父親走得唔放心，大家只好留在家裡。那夜，我們放

好器具，「拜回魂」儀式後便回房迴避。我和兩個弟弟睡在同一間房，到凌晨一時前，我一直聽到弟弟們哭泣的聲音。直至他們的情緒平伏下來，我才躺下床休息，並一直處於半夢半醒的狀態。

燒焦腐臭味襲來

突然，一陣燒焦的氣味隨著寒風從客廳湧入，使我清醒過來。我沒有回想起道士的話，心想：「哪戶人半夜煮燶嘢？」但過了一會，燒焦的氣味卻愈來愈濃烈，還夾帶著腐臭味！而早已關上的電視居然發出聲響，聽起來像是播放著球賽。我才察覺到這可能是父親回魂的徵兆，好奇心驅使下我悄悄走到門邊，開了一個小縫。

只見沙發上坐著一個血肉模糊的人，雙手拿著燒肉和酒杯，晃腳看著球賽。恐懼使我的身體僵硬起來，閉上眼睛愣在原地動不了。此時，身後卻傳來騷動，我被嚇一跳，不敢轉身。我感覺到有兩個重物壓在肩上，馬上渾身發抖起來，才聽見兩把聲音悄悄地說：「哥你在看什麼？」

我睜眼瞪著弟弟兩人，惱羞成怒的說：「白痴，人嚇人無藥醫啊！」沒想到自己的聲音大得連客廳也聽到，沙

發傳來一下抽氣聲，我和弟弟們一起望出去，跟沙發上的身影對望……

死狀恐怖，親子驚嚇迴避

我們不寒而慄，以最快的速度擠到同一張床上，瑟縮一團，當作什麼事也沒發生。廳內的鬼影也好像明白我們的恐慌，雖然開始走動，但卻蹺過我們的房間，往旁邊的走去。我聽到旁邊兩個弟弟大口吸氣的聲音，伸手把他們擁過來，可是我的手也在不停抖動著，他們得不到太多的安慰。

突然，我們聽到腳步聲逐漸迫近，馬上拉緊被子躲起來。門被推開的聲音比平日更刺耳，我們害怕得抽泣起來，把被子拉得更緊，在被子下尋求蔽蔭。噁心的氣味撲鼻而來，床褥承受突如其來的重力，知會我們床邊多了一個人！

子女不願相見，讓父抱憾離去

床邊人說：「三個衰仔咪再扮死，起身比老豆見吓你哋。」但我們三人誰都不敢拉開被子，怕跟父親的鬼影四

目交投時會吐出來。父親嘆了一口氣,隔著被子輕拍我們,如同小時候哄我們睡覺時的情況。只是,我們沒法像過去一樣對溫柔的父親報以微笑。

「之後,要好好照顧你哋阿媽,知道嗎?」它無奈的說。我和弟弟們仍然沒敢回應,它再發出苦澀的嘆氣聲。突然,我們感覺到床邊的重量消失掉,腳步聲開始離遠,我們三人直至再聽不到父親的腳步,才敢探頭觀望,各自睡覺。

翌日,母親向我們說她昨天夢到全身充滿燒傷痕跡的父親。它跟母親說沒有見到我們最後一面,十分難過,但體諒我們害怕的心情。我們聽後感到十分內疚,非常遺憾……

被運滯鬼喪玩十一日

筆者一向對每一位先人都有求必應，甚至容忍、放任它們冒犯我，纏著我不放。但自從有了一次恐怖的經歷後，我便決定再不會縱容靈體纏在自己身上，免得受驚、甚至生命安全受到威脅⋯⋯

男鬼纏身，租屋同居⋯⋯

「——碰！」

「嘩呀——！」

那晚，血花在我面前濺起，我還未反應過來，身邊的人已經發出恐懼的尖叫，四散開去。在我面前，一具男屍躺在地下，頭骨破裂，肚破腸流，面朝向我，帶著怪異的笑容。到路人報警後，我才意識到有人跳樓了。突然，我感到肩背受壓，扭頭一看，赫然發現那死狀恐怖的男屍鬼魂正伏在我的背上不願放開。

從多年的經驗，我知道它將會纏著我，直至它歸返陰間為止。我打算靠一己之力，透過談判讓它早日歸返地府。我撥了電話，跟家人說編造了理由說自己要出國公幹，數

天後回來，便提著「架生」到長洲租屋暫住。一走進房子裡，它便醒來，趴到沙發上不動。我看著不斷滲出血水的腦袋，使沙發染上紅色，一段小腸暴露在空氣中的畫面，終於忍不住跑到廁所吐了！

在我不停吐出來期間，突然身後傳來一把男聲，說：「真水皮，看到這種畫面就嘔——」我抬起頭望著它，它那血腥噁心的狀況令我「嘔意大增」，抱著馬桶不放。它可能覺得沒趣，轉身走回廳內。我止著嘔吐，也走回廳內，對背著我、側躺在沙發的它說：「我唔收你同你屋企人錢，

▲喃嘸佬雖然有一定道行修為，但遇上難纏的惡鬼，一樣束手無策。

現在為你做場法事，你早點投胎轉世吧⋯⋯」

「我不想那麼快走，我有權留在人間到『回魂夜』那天吧。晚安。」它冷淡地說。我皺起眉頭，心裡開始數著它「回魂」是哪天，啊一！還有十一天，我豈不是要跟它同居十一日！？既然要跟它待那麼久，我開口問它的名字，可是它沒回答，轉身向我飄近。我面無血色，嚇得來不及衝到廁所，直接吐在地上。它發出瘋狂的笑聲，飄向睡房裡。我在清潔地板過後，難受地趴在另一張沙發上休息。

「不如跟我一起死吧⋯⋯」

之後幾天，它也有意無意的直接飄過來，使我當場吐出來，再譏笑我的膽小。我的身體和精神已經臨近崩潰，可是仍得要留在這間渡假屋內，每天面對著它的嘲諷與惡作劇。到了最後一天我才稍為適應，可以面對面跟它對談。我問它因何事而自殺，它顯然不想回答，冷眼瞪過來，說：「你只需陪我到最後，其他事與你無關。」

我通常都會尊重靈體，不過這次情況特殊。我直接回

房間拿起「架生」，威脅它說：「你可以選擇答或消失。」它即刻生氣起來，直接飄過來掐著我的頸子。我驚慌地望著它的反應，呼吸困難，用力反抗。只是，它的手更用力掐住我，直至我全力乏力、恐懼得哭出來後，才放下手，恥笑我的懦弱。

我止住眼淚後，躲在一角念經，讓它不能接近我。它突然坐在沙發上，目無表情地說：「坐過來。」我無視它，繼續念經。它直接說：「我一個月內經歷到母親、父親死亡，失業和失戀，生無可戀，自殺身亡，那行了吧？」

我錯愕起來，有點同情它的遭遇，沒想太多便上前拍它的肩膀。突然，它把我抓著，一手把我推倒在地，手捏著我的頭，想折斷我的頸骨。它像瘋子一樣大笑著，陰沉的說：「既然那麼好心，不如跟我一起死！」

我掙扎大叫，手從旁邊桌子上拿起桃木劍，它馬上放開手，退到沙發的另一邊。捱到凌晨一時，「鬼差」隨窗外白光而來，它才慢慢被光線吸著，飄出窗外……

口沒遮攔，激怒男鬼

在講解禁忌時，我亦提及到不應在「回魂夜」打牌。一來過分的喧鬧對先人並不尊重，二來打牌時很多不應說的話也會衝口而出，往往開罪了鬼魂，惹禍上身……

口不擇言，開罪先人……

阿明除了跟父母住在一起外，還跟一個失業多年的舅舅同居。早前，那位舅舅因酗酒過度，器官衰竭去世。他的父母由於跟舅舅的生肖相沖，在「回魂夜」需離家暫避。他們本來也叮囑阿明到朋友暫住，但阿明沒有理會，只草草敷衍他們。適逢「回魂」當日是考試後翌日，阿明等父母離家後便叫了三名好友上門，盡情玩樂，通宵打牌。

打牌有贏有輸實屬閒事，可是這天不知為何好友阿浩一家贏三家，由第一圈開始就不斷食糊，大殺三方。到大概凌晨一時多，其餘三人怨聲四起，再受不了，阿明抱怨地說：「不能再打下去，休息一會，搵人去買宵夜，截一截你的運氣！」

阿浩直接反駁：「休你個頭！留返死後慢慢休息啦！」

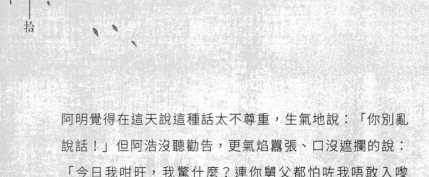

阿明覺得在這天說這種話太不尊重，生氣地說：「你別亂說話！」但阿浩沒聽勸告，更氣焰囂張、口沒遮攔的說：「今日我咁旺，我驚什麼？連你舅父都怕咗我唔敢入嚟啦！」

三人都沒他辦法，只好閉嘴等他沒法再反駁。由於他們也停下手腳，阿浩也沒法繼續玩，悶著氣坐在沙發上。經猜拳後，阿明和阿浩留在阿明家中，其餘兩人 Sam 和 Toby 下樓買宵夜。等待期間，阿明和阿浩坐在沙發上看電視。突然，有人敲門，阿浩見阿明正十分投入地看電視，便自覺地起身開門。

鬼頭穿牆，面露怒容

奇怪的是，他打開了門卻什麼也沒看到，只有一陣陰風吹過。他關門後，正想轉身走回沙發，敲門聲又再響起。阿明覺得好奇，也走了過來。等到阿明站在旁邊後，他再打開門，仍然沒看到人影。他們以為是別家的小孩在惡作劇，不禁破口大罵，說了幾聲髒話後才關上門。

兩人轉身之際，聽到門外突然傳來有一把聲音說：「放我進來！我要回家——！」兩人錯愕對望，知道對方也聽

見門外男聲後，阿浩說：「是誰呢？」

阿明好像想起什麼，渾身發抖，拉著阿浩的衣袖不放。阿浩意識到這把男聲正是阿明的舅舅後，也慌張起來。門外的聲音突然靜止了，忽然一顆頭顱穿過門探頭進來，偏著頭，生氣地說：「我點會怕咗你唔敢入嚟呀，小朋友！」

阿明和阿浩雙目發直，拔足跑去最近的睡房，躲在床上瑟縮一角。哪料到身型肥胖、皮膚呈灰黑色的舅舅竟穿門而入，站在床邊，陰森地打量著他們。他們怕得要死了！阿浩只敢一邊抓著被子一邊求饒：「我知錯了，我唔會再亂說話，求你放過我⋯⋯」

舅舅邪笑著，對阿明和阿浩說：「想我放過你哋都得，拎酒嚟俾我！」兩人慌張地站起來，跑向廚房，拿出數支酒出來。舅舅二話不說，把一支又一支的酒倒進口中，很快便醉掉，倒在沙發上。

「鬼差」問路⋯⋯

阿明和阿浩馬上逃出家門，一口氣跑到候梯間，狂按「下」掣。到進入電梯後，阿明放鬆下來，靠著電梯牆，氣喘地說：「都⋯⋯是你的錯！如果你⋯⋯沒有亂說話舅

舅怎會用這種方法嚇我們！」

　　阿浩正想反駁時，他們已經到達地面，電梯門打開，門外居然站著牛頭馬面！它們望向兩人，詢問要怎樣到阿明住的地方。兩人不斷搖頭尖叫，像瘋了一般大哭起來，衝門而出，逃出大廈外。阿明與阿浩逃走，一路上不斷聽見牛頭馬面詢問的聲音，直到進踏入阿浩家門才停下來。他們不停喘氣，總覺得有些事遺忘了，過了兩、三分鐘才想起買外賣的 Sam 和 Toby ！

　　突然，一陣電話聲響起，嚇得他們跳了一下。原來是 Sam 和 Toby 致電來。Sam 和 Toby 問為何阿明家無人應門，阿明把舅父報復的事全數告之，Sam 和 Toby 聽後大驚，馬上拔足狂奔到阿浩家過夜，直到天亮了才敢離開。

驚見血肉模糊鬼臉

陳婆婆老伴去世多年，跟兒子阿言、媳婦阿娟和孫兒 Dickson 住在一起。為紀念阿言、阿娟結婚十週年，兩夫婦想請陳婆婆一起去日本旅行七日，但她不喜歡坐飛機，便婉拒了兩人。夫婦兩人不放心陳婆婆獨自留在家中，可是她向兒媳保證會好好照顧自己，要是有什麼病痛都會找鄰家救援。

急性病奪命，屍體面目不堪……

就在兩夫婦和兒子三人起行後一天，陳婆婆在洗澡時突然急性心臟病發，死在浴缸裡，屍體被暖水泡著。翌日，單位開始傳出陣陣惡臭，但由於陳婆婆一向有醃製鹹魚、臭豆腐的習慣，所以鄰居們都沒有太在意。旅行期間，阿言曾致電給母親，但無人接聽，事前又無抄下鄰居電話，沒法了解情況。阿言心想母親可能外出探朋友而已，為免掃興，繼續行程。

六日後，他們歸返住所，才發現陳婆婆的屍首已經腐爛發脹，面目不堪。他們三人被駭人的畫面嚇呆了，愣在

原地動不了。鄰居們看著這戶的門口開著，敲門進去，打算投訴，但見浴室的屍體後也嚇到暈倒在地上！三人回神過來後，一邊哭著一邊報警求助。

半夜粵曲聲響

阿言和阿娟兩人十分自責，若他們沒有去旅行的話，或許陳婆婆便不會死。

過後有一晚，Dickson 早早睡了，阿言和阿娟亦提早到十一時入房睡覺，但在熟睡期間突然聽到房門外傳來開

▲過世親人要回魂，家屬表現驚恐，在所難免。

門、開燈的聲音，浴室還傳出水聲。阿言以為是 Dickson 半夜醒來，沒有為意繼續睡覺，但旁邊的阿娟拉拉他的衣袖，害怕地靠近他一點，說：「你覺不覺得冷了很多？」

他正想安慰妻子時，浴室內有人開始唱起粵曲來。那把聲音跟他母親很像，而那支曲正是她生前最愛！他們兩人對望，不敢亂動，也不敢開口說話，生怕會嚇走母親。直至天快要亮，聲音才靜止下來。

廁所現身，血肉腐爛不堪入目

早上七時，三人吃早餐時，各人神色有異，Dickson 終於按捺不住，戰戰兢兢地說：「昨晚⋯⋯有沒有聽到粵曲聲？」父母們馬上面色一沉，使 Dickson 的臉也發青了。他馬上覺得不適，決定請假不上學。阿言和阿娟讓他請假，再自行出門上班。Dickson 雖然覺得害怕，但由於昨晚他也被嚇醒過來，心想大白天不會有事，於是，躺在床上便倒頭大睡，晚上父母回來見狀沒有叫醒他，由得他睡下去。凌晨一時，他才起床，半夢半醒的走出房間，打算去小解。他打開廁所門，赫然發現有鬼坐在浴缸裡，它臉上的肉通

通腐爛，不斷流出紅黑色的血水。

他嚇得尖叫出來，忍不住吐了出來。阿言和阿娟被Dickson的尖叫聲吵醒，馬上從睡房跑過來。兩人望見浴缸裡的鬼臉，也嚇得向後退幾步。浴缸的鬼見狀後，難過地說：「我都唔想嚇到你們，只是我今晚要走啦，想見見你們最後一面……」

他們三人愣住不動，它亦同時站起來，走近他們一點。三人強忍著嘔吐，看著逐漸迫近的它，不敢移離視線。它留意到他們的面色愈見蒼白，停上腳步說：「我不放心你們，你們能好好照顧自己嗎？」

他們沒有回答，使陳婆婆更難過。突然，客廳傳出兩組腳步聲，三人一鬼同時望向聲音來源，只見牛頭馬面走向他們的方向，說：「時辰到，夠鐘起行！」

它嘆了一口氣，繞過兒媳和孫子三個，跟隨「鬼差」往大門方向走去。阿言在它踏出大門時，終於鼓起勇氣，說：「阿媽，我們會好好照顧自己，您放心投胎啦！」但陳婆婆已經來不及回答，被「鬼差」拉進一陣白光裡，憑空消失了……

無人招魂，有家歸不得⋯⋯

「晚安啊，陳生⋯⋯」在等待電梯時，半透明的男人向我打招呼。靈體我已司空見慣，全無驚恐，我見它並無惡意，我便報以微笑，對他揮揮手。

我並不是第一次見到這個靈體，過去一連十三日我也在相同時間、相同地點遇見它。我有問過它為什麼要等我，他說這座大樓好像只有我一個人有陰陽眼，為了解悶，只好每天打擾我一下。經歷過長洲一事，我很抗拒靈體糾纏著我，但它總是乖乖的跟我等電梯、陪我乘坐上去，到我踏入家門後就在門外「識趣地」揮手離開。所以，我也沒趕走它，讓它陪我走這一段路。

「晚安，李生。今晚打算做什麼？」每日，我也是這種回覆，等它有機會說話，不會那麼寂寞。它總會笑著，滔滔不絕的說著它一晚的大計，而我努力表現得好奇、關心，使它說得更興奮和滿足。但這天，它卻沒有像之前一樣說著大計，反而愁眉苦臉，望著我說：「再過兩小時，我就要離開了⋯⋯」

我理解地點頭。剛好電梯門打開，我和它一起踏進梯

內，我正想按下自己的層數按鈕時，它說：「可以帶我去十七樓 E 室嗎？這是我生前的家。」我心領神會，改按十七樓的樓掣，準備陪它，直到牛頭馬面前來為止。它像個小孩一樣在電梯跳了兩下，再咧嘴而笑。

「回魂」返家，親人拒見

我帶領它到十七樓 E 室的門前，呆了半晌，為何親人死了，門口竟連一支洋燭也沒有？它拍了我一下膊頭，指示我到門前地毯下拿起鑰匙。我打開門進去，赫然發現家裡有三張女性的臉望向我，露出驚嚇的表情。我望向站在門外、無法進入的李生，終於明白它要我相陪的目的是希望我代為通知家人，要點蠟燭方可引路回家。

「打擾了，請問你家最近是不是有人死了？」我直接地問，三人表現得更驚慌，其中一名女生點頭。我快速地交代了自己的職業和身分，以及為何有鑰匙開門而入。他們三人不相信，但為了打發我走，點了一支大洋蠟，讓我放到門外。李生直接走進屋內，突然客廳的燈不斷閃著，陰風也刮進來。三人受驚，紛紛窩在沙發裡。

「我回來了……」它說，它的家人們同時發出慘叫聲。

中年婦人對著它大吼起來：「你走呀！你這種人渣死了也別回來，滾去情婦那裡！」

它默默低頭，悔疚的承受著太太的怒言。它一直被太太責罵，兩個女兒躲在母親背後，眼睛充滿恐懼。忽然，那個女人隨手拾起一個花瓶作勢要轟過來時，它拉著我一併離開。

「鬼差」帶路，落寞離去⋯⋯

我們走到後樓梯口，一同坐在梯級上。我默默為它點了一支煙，它吹起煙圈，開始對我說出自己「包二奶」、不給家用、虐兒等等可恥的行為。我不便發表任何感想，只拍拍它的肩膀。突然，一陣腳步聲從後方傳來，我和它轉身，驚見牛頭馬面站在身後。

馬面瞄一瞄我，再跟它說：「夠鐘，要上鐵鏈起程！」它點頭，讓牛頭馬面扣上手和腳，向我揮手道別。臨走時，它跟我說：「最後一個請求，幫我跟她們說對不起，麻煩你⋯⋯」在我答應後，它便跟隨牛頭馬面，落寞離開人世，共赴陰間。翌日，我履行承諾，代它向它的家人致歉。她們不接受，向我吼了一句後，直接摔門。我只好離開⋯⋯

「回魂」尋子

兩年前，我們一家由九龍搬到新界，找了一間村屋入住。女兒阿儀身體不好，我希望清靜、空氣清新的居住環境能使阿儀休養身體。我和太太都很滿意新屋，旁邊有兩戶鄰居，一戶是單親爸爸和兩歲男童，另一戶是四人家庭。兩戶人家都親切友善，加上大家都有小孩，很快便成為朋友。大家變得熟絡後，我太太讓單親爸爸 Dick 的兒子 Bob 在他上班期間寄放在我們家，代為照顧。

血肉相連，感應意外發生

有一日，在晚上七時多，原本正玩得開心的 Bob 突然大哭，還尖叫起來，太太怎樣哄他也沒法讓他睡著。事後才發現原來 Dick 下班時不幸遇到車禍，送院不治，離奇的是 Bob 開始大哭的時段正是 Dick 送院期間！我們和鄰居想盡辦法聯絡 Bob 的母親，幾經辛苦才找到她的電話，她卻跟我們說要過一個多月才能接走 Bob，而 Dick 的喪事她也不會負責！我們兩戶人看不過眼，決定夾份付錢，為 Dick 辦一場喪禮，亦代她照顧 Bob，直到她前來接走他。

　　鄰居夫婦不斷提醒我和太太，在「回魂」當晚 Dick 很有可能會到我們家。我們沒告訴他們，這種事我們早已見怪不怪，我們只怕他會上阿儀身。

　　Dick「回魂」當日，我請了假，大朝早就安排阿儀和太太到親戚家暫住。由於 Dick「回魂」是為了見 Bob 最後一面，所以我沒有把 Bob 送走，讓他跟我待在一起玩到晚上。

黑影現身，交待身後事

　　等到他睡著後，我在家門外點了一支粗香，馬上便發

▲遭遇橫禍、死於非命的事主要趁回魂夜重返人間，完成未了的心事。

現家中的燈比剛剛昏暗，而即使關上窗也有寒風吹過。我抽一口氣，馬上走進睡房休息。半夜，我突然被冷醒，打了一個哆嗦。突然，我聽到隔壁房間傳來 Bob 的傻笑聲，不禁心頭一顫，想必是 Dick「回魂」了，便起床開門，探頭觀望。只見房內有一個黑影不斷在跟 Bob 玩「舉高高」，雙方也不斷發出傻笑聲。我有點擔心 Bob 會玩過頭發惡夢，但不捨得阻止他們父子之間的最後玩樂。

　　等到兩人的遊戲停下來，我才走進去，跟 Jack 的鬼魂說不用擔心 Bob 以後的生活。可是，它始終不放心，抱著快睡著了的 Bob，輕聲說：「聽著，Bob。」Bob 已經累得睜不大眼睛，半夢半醒的點點頭。它疼愛的笑著，摸摸 Bob 的頭髮，再說：「你之後要乖，不能任性。記著不准欺負媽媽喔。爸爸要出差，不能再回家了。」

　　Bob 吃吃笑著，回答自己會當好孩子後，窩在它的懷中入睡。它不捨的望著 Bob，幾經掙扎後才把他抱回床，向我和熟睡的 Bob 道別後拖著腳步走出屋離去……

狂躁漢虐殺女友（上）

星期天早上，一陣急促的門鈴把我和太太吵醒了。

開門一看，原來是甥女婷婷，我抑壓著打呵欠的衝動，強作精神地說：「婷婷，一大早找我們，有什麼事啊？」

婷婷看起來快要哭出來，嗚咽著說：「我被男鬼纏著一星期多了！由它自殺那天開始，就一直不願放過我，每晚我放學、回宿舍期間它都出現在我旁邊，只有我一個人看到它！姑丈，你一定要救我啊！」

我覺得這事有點奇怪。就我所知，一般鬼魂不會只讓一個人見到，除非那個人時運低到貼地。但她的氣色不差，不可能這麼倒楣。我覺得她有事隱瞞，於是再問：「它跟你認識嗎？跟你有什麼關係？」

她馬上支吾其詞，迴避我的視線。在我幾經追問下，她才說：「它……它是我前度男朋友……」

我嚇得睜大眼睛，說：「前男友？他為何會自殺？又為何纏著你不放？不會是你迫到它自殺吧？」她不斷搖頭，邊哭邊說：「不是的，不是我迫到他自殺的，嗚——！」

太太從遠處走過來，怒瞪了我一眼後，似在怪責我失言，把婷婷弄哭。太太拿了一杯水遞給婷婷，說：「婷婷，先喝杯水，冷靜下來，告訴姑姐發生甚麼事，我和姑丈會幫你的。」

婷婷深呼吸，喝了幾口水後，把事情的始末娓娓道來……

自殺的男子叫 Eric，與婷婷是大學一年班同學。Eric 外表俊郎，身型健碩，婷婷對他一見鍾情，Eric 亦被婷婷活潑開朗的性格所吸引，兩人很快發展成為情侶。但拍拖不久兩個月，Eric 的「真性情」已經表露無遺，他脾氣暴躁，經常對婷婷拳打腳踢；他又小器霸道，婷婷一跟其他男同學傾計，Eric 就會吃醋，當眾罵婷婷水性陽花，是賣弄姿色的妓女，令婷婷非常反感！後來，Eric 更變本加厲，偷看婷婷的手機短訊，悄悄翻看她的日記和電郵，婷婷終於忍受不住，提出分手。自尊心強的 Eric 受不住被「飛」的屈辱，分手後翌日就跳樓自殺！

聽完婷婷的遭遇後，我和太太非常憤怒，這隻男鬼在生沒有好好待過婷婷，死後還要纏著婷婷！我馬上答應婷

婷的請求，拎起「架生」，準備代她趕走這隻「小器鬼」，必要時甚至收了它。

當日下午我跟著婷婷站在校門前，等待男鬼的出現。等到大概六時三十分左右，我看到一抹白影從遠處慢慢飄過來，婷婷似乎也發現了，立即躲在我身後。男鬼飄到我面前，我瞄一瞄空無一人的花園，示意它走過去後，便拉著想逃跑的婷婷也走過去。

怨氣形成黑氣

「你是什麼人？！跟婷婷又有什麼關係？！」它等到我們到花園後，充滿怒火地質問我。我回答：「我是婷婷的姑丈，我已經聽說了你們的關係和情況，你最好早點投胎，不要再纏著她，唔好迫我收你！」

男鬼青筋暴現，狂妄的大笑起來：「就憑你一個閒人，怎可能收我？婷婷是屬於我的，我要佢落嚟陪我！」

我見這隻男鬼那麼執迷不悟，不敢怠慢，從袋中拿出「架生」，它的面色變綠，不自覺退後一步。此時，在我身後的婷婷探頭出來，開口說：「Eric 你走啦，我姑丈是一位道士，他真的會收你……」

　　男鬼馬上抓狂起來，咬牙切齒，眼流出怨恨的血淚，直接扯起旁邊兩棵大樹想拋過來。我見勢色不對，馬上使眼色叫婷婷先走。她才離開兩、三秒，男鬼盯著婷婷的背影，一臉渴望，想衝上前捉走婷婷，只是怕我馬上動手，不敢輕舉妄動。我等到婷婷已經離開花園後，準備跟它談判：「既然你已經死了，不如早日投胎，搵戶好人家啦！」

　　突然天色驟變，花園亦變得昏暗，Eric 的怨氣亦逐漸湧出來，在它的周圍形成一團黑氣。它怒氣衝天，臉和眼球也染成血紅色，對我說：「如果不殺了她，我唔會『回魂』

▲躁狂男友死後都不肯放過生前女友，誓要奪走她性命，同歸於盡。

返家，更加唔會走，我怎也要拖她一起去，就算做對鬼夫妻都唔緊要！」

我覺得它不可理喻，隨手拿起工具想收掉它。「這是最後一次機會，你考慮清楚，要投胎轉世還是灰飛煙滅？」我大吼一聲，它退後一步，臉上的血紅紛紛退下來，身邊的黑氣也消失掉。它看起來已經被震懾，不敢莽動，還小聲地說：「好，我明白了！我今天就跟牛頭馬面返家，等下世再跟她一起吧……」

它低下頭，無奈地往公園更深處走去……

終於勸服到 Eric 離開，我如釋重負，鬆了一口氣。我致電給婷婷，跟她說我已趕走 Eric 了。婷婷遲疑了一會，問：「點解你唔收咗佢？佢返來搞我點算？」

我解釋道：「上天有好生之德，非必要時，我都不想令它魂飛魄散。」我亦乘機勸喻婷婷求學時期努力讀書，不要談戀氣吧！她應聲答應。

男鬼食言，要她非死不可

凌晨，我在太太的吼叫和哭泣聲中驚醒過來。太太指責我沒有收掉 Eric，Eric 又回來害婷婷啦！原來，婷婷返

家後不久，房內傳來婷婷的尖叫聲，等到婷婷的父母進房後只見一個鬼影凌空消失，婷婷已經返魂無術，死於床上。

我十分氣憤，原來 Eric 是假意降服，轉頭就去對付婷婷。我馬上到請師公幫忙，抓了 Eric 上來當面對質。Eric 好像老早預知我會抓它上來，表現得氣定神閒，說：「要怪就怪你自己太天真，竟然心軟放生我。係呀！係我殺死她的！哪有如何！婷婷是屬於我的，我要佢永遠陪住我！」

這隻男鬼冥頑不靈，還害死無辜的婷婷，我揮動桃木劍，唸起符咒，狠狠地斬向 Eric。我無視 Eric 的鬼哭狂嚎，直到打到它灰飛煙滅為止⋯⋯

狂躁漢虐殺女友（下）

一時心軟，種下禍根

婷婷死後，我受盡千夫所指，親戚們指責我放生Eric，結果放虎歸山，令二十歲的婷婷慘死！這確實是我的疏忽，我太低估事件的嚴重性，令善良的婷婷慘遭毒手，實在很內疚！我不斷向親戚們道歉，但他們對我的怨恨並無減少。為免太太左右為難，我寧願缺席喪禮，改日再自行上山拜祭婷婷。

枉死女友死不甘心

喪禮過後，有一晚我和太太在客廳看電視，熟睡的阿儀突然打開門走出來。由於她搬到新家後便很少有鬼魂上身，我們都以為她醒來喝水或去廁所，沒太在意。不料，阿儀站在房門前一直沒動，我們回頭望向阿儀，才發現有所異樣。「阿儀」盯著我們，神情夾帶著悲哀和思念，好像在回憶過去般的。

在四眼相投數十秒後，「阿儀」開口說：「我不想死……」

　　我漸漸意識到阿儀又被鬼上身了，正想發難之際，它突然說：「姑丈、姑母，為什麼我會遇到這種事？為什麼？」

　　我和太太嚇呆了，原來是婷婷！上阿儀身的鬼是婷婷啊！

　　婷婷抽泣著，太太心痛極了，衝上前抱緊它，希望可以安撫到它的情緒，但被擁入懷的婷婷哭得更厲害，邊哭邊喊道：「姑媽，嗚……姑媽，我才二十歲，咁就死咗啦！我唔甘心啊！我們這個家族只有我一人入到大學，爸媽都好開心，覺得我光宗耀祖，但宜家連大學都未畢業，四方帽都未戴過就死咗啦！嗚……點解……點解我第一次拍拖就咁倒霉，遇著個衰男人，佢郁啲就打我，把我當作扯線公仔，一唔順佢意就拳打腳踢，又講盡難聽的說話來侮辱我，最後仲殺咗我，我好慘啊——！究竟我做過甚麼錯事，要落得這個下場啊？上天對我太殘忍啦，太殘忍啦……嗚——！」

　　我聽得心如刀割，涕淚連連，嗚咽地說：「婷婷，是姑丈的錯，如果姑丈當機立斷，狠下心腸收了 Eric 的話，

你根本不會被它害死！這是姑丈欠你的，對不起……是姑丈的錯……」

婷婷哭著搖頭，咽著說：「唔關姑丈事，誰想到 Eric 如此狡猾，假意離開，轉頭就走來殺我！它給姑丈打到魂飛魄散，是罪有應得的！但我呢？我是無辜的，我死了，我唔可以再做人啦！我唔捨得 Daddy 媽咪……我唔捨得大學的生活啊……我唔捨得你哋啊……我唔捨得這個世界啊……我唔想走啊！我唔想離開啊！嗚——！可唔可以唔走啊……可唔可以唔走啊……」

眷戀人間，掙扎不願離世

我和太太哭得無法說話，只能抱著婷婷的身體，不時拍拍它的背。婷婷越哭越大聲，情緒越來越激動：「我真的不想死，我還有很多事想做想試，我畢業後好想做空姐，好想飛來飛去，環遊世界，我連歐洲都未去過啊，我所有的夢想都冇晒啦，宜家我咩都冇啦！」

我拍婷婷的背，對婷婷說：「婷婷乖，現在都冇辦法改變現實，不如等我幫你打幾場齋，等你早日投胎，等下世再完成今世未做到的事吧……」

　　婷婷猛力搖頭不斷重複說：「不要投胎，我不要投胎，我要做人啊！我要做人啊！我要做人啊！嗚——！」

　　我和太太都無計可施，只好繼續哄它，希望它看開一點，可以提早上路。

　　幾分鐘後，一陣白光迎面而來，婷婷不斷尖叫、掙扎，希望能逃過「回魂」，可留在塵世。從白光走出來的牛頭馬面好像認得我，對於在「回魂夜」見到我已經習以為常。婷婷對塵世縱有萬般不捨，對自己的枉死有萬般不甘，此刻都無力反抗了，只好離開阿儀的身體，隨「鬼差」返回屋企與家人作最後的話別。我和太太亦只好目送婷婷的亡魂跟隨牛頭馬面離開……

鬼來「訊」

近幾年,每晚一過八時,我的手機都總響過不停。如果是廣告電話我也會接聽,畢竟對方也只是打份工,說不需要他提供的優惠便可馬上掛掉。但奇就奇在每每接聽後都沒有任何人說話,甚至有時會聽到「嘿嘿嘿」的奸笑聲。除此之外,我每接一單法事,都會不斷收到詭異的倒數訊息,好像在提示我「回魂」日快到了,要為它的親人準備祭祀器具。當中,有一位靈體發過來的訊息令我印象深刻,它傳來的每一則短訊我也收藏起來,偶爾仍會點開細閱……

猛鬼 SMS 的警示

我對於收到這樣的短訊沒有太吃驚,只是這次居然有電話顯示。我不知哪來膽子,按下「回覆」,詢問它是誰和發訊來意,隔了不到三秒,便再次收到回覆。

「我是昨天被火化的阿晴啊,道士先生。

我想你幫一幫我提醒我媽咪,七日後不要留在家裡,我不想嚇到她。」

　　當日在殯儀館內，前來拜祭阿晴的人數很少，場面顯得冷冷清清，加上死者阿晴才只有十多歲，所以我沒想多少時間便想起來。我對它的要求很好奇，馬上詢問它不是每一個死者也希望離開人世之前見到親人最後一面嗎？才過兩秒，又再收到解釋的訊息。它說自己因為被同學欺凌、被幾位女同學花了臉後跳樓自殺，死相面容扭曲、血肉模糊。雖然它母親看過它的遺容，但始終會動會走的鬼魂跟躺著的屍體不一樣，怕母親受驚。

　　我點點頭，直接回覆，答應它的請求。它也馬上回以一個微笑符號。我到客戶名單找回它母親的電話，訛稱她與女兒的生肖相沖、「回魂」當晚不能留在家裡。她答應我不會留在家，我掛下電話，再發一封訊息給阿晴，立即收到它道謝的訊息。

　　過了幾天後，我有點擔心阿晴的母親忘記這件事，在第六天晚上致電過去提醒。在掛下電話那刻，突然收到一個短訊，上面寫著：「道士先生，多謝你仍然記得這件事，還致電給我媽咪，提醒她不要留在家裡。」我回覆她這是我應該做的，她再傳我一個微笑符號。

　　我以為這會是我和阿晴最後的對談，哪知道在第七日

的半夜，她居然來找我，還用了我最不希望的方法……

鬼上身親自道謝……

第七日的半夜，我突然被拍醒。

我看見阿儀站在我的床邊，她面上有著點點泥濘，手提著一束新鮮摘回來的花。我即時反應是捉著阿儀的身體，準備請附在身的鬼魂離開。可是它對我微笑，說：「道士先生，這是給你的謝禮。」

我還未意識到它是誰，冷漠地說：「我不知道我有幫你做過什麼，但別影響我女兒的休息，離開她的身體再跟我說話！」

它搖搖頭，再說：「我把花送給你後，便要走了。這是多謝你這八天來的幫忙。」它把花塞到我手中後，便馬上離開阿儀的身體，使她直接向前倒下。我接著她，抬頭看到一抹白影，但由於它刻意擋住自己的臉，極快地從窗戶逃走，所以我根本看不清它的臉。我把阿儀抱回床上後，才記起自己八天來只幫過阿晴一個。

之後，我再沒有收到過阿晴的短訊。而它送來的那束花一直放在客廳裡，直至阿晴「尾七」那天才枯萎……

幼女首次見鬼的經歷⋯⋯

筆者在前文亦有提及過女兒阿儀的陰氣較重，除了有「陰陽眼」之外，其他鬼魂「回魂」當晚亦很容易上她身。而她第一次見到鬼魂，正是她的外婆「回魂」那晚⋯⋯

外母患有心臟病，病情在阿儀四歲時急轉直下，最後與世長辭。由於我太太是家中長女，亦是外母最疼愛的兒女，我和太太商量後決定「回魂」當晚到外母家過夜，讓外母可以見她最後一面。我們想令外母放心離開，所以沒經考慮就把阿儀也帶過去。

牛頭馬面伴外婆回魂

當晚，我們一家三口和太太的三名弟妹睡在大房裡，半掩著門，一直都相安無事。就在午夜，阿儀無故醒來，拉著太太的衣服，跟她說覺得睡房很冷。太太感覺不到溫度的改變，以為阿儀在撒嬌，沒太在意，只抱起阿儀，哄她早點睡覺。但過了幾秒，阿儀覺得更寒冷，不斷顫抖和拉緊被子，使太太也不能入睡，不時要輕拍她的肩、哄她睡覺，但豈料太太愈哄她愈清醒。

突然，阿儀驚訝的睜大眼睛，好奇地問：「媽咪，你聽唔聽到出面有聲呀？」太太嚇呆了，跟她說不要胡亂說話、快點睡覺，但門突然被吹開，阿儀望出廳後，指向廳說：「媽咪，你不是說外婆去了『很遠很遠的地方』嗎？她現在站在客廳喔！點解外婆一邊走一邊有『鐺鐺』聲嘅？還有，外婆身邊兩個高大的叔叔是誰呀？」

太太心頭一震，已經知道阿儀見到的是母親的鬼魂和牛頭馬面！由於太太陽氣較旺，從沒遇過、聽過鬼怪之事，不知如何應對，只好拉起被子，把自己和阿儀整個人也躲進被內，以免她看到更多奇怪的東西！可是阿儀還不斷吵著要出去客廳跟外婆一起吃燒肉和菜，再怎樣哄她她也不願睡覺。

鐵鏈聲迫近

「媽咪，我聽到『噹噹』聲離我們愈來愈近，是不是外婆過來找我們了？我好掛念她，好想跟她抱抱呀——」阿儀難過的說，想直接拉開被子跟外婆對話。太太明明聽不到任何的鐵鏈聲，可是在阿儀形容下害怕起來，一邊用

力抱緊阿儀不斷掙扎、想逃脫的身體，一邊緊閉眼睛，總覺得只要一張開眼就會見到牛頭馬面的臉！

霎時，床邊傳來「咭吱」一聲，像有重物被拋到床褥般的。她聽不到有人說話，但阿儀卻突然回話：「知道了，我會乖乖照顧媽咪的！」阿儀再傻笑起來，聽得太太渾身發抖，不敢張大眼睛，也沒法伸手搗住阿儀的嘴巴，阻止阿儀再跟被子外面的鬼魂說話。等到阿儀說再見後，床邊的重力才憑空消失，阿儀也累了起來，窩在太太懷中睡覺。

隔被對話，交待身後事……

翌日朝早，在太太追問下，阿儀把外婆的對話重複說一遍。原來，外婆是跟她說自己很快就要起程去「很遠的地方」，但有點不放心家人，才回來看看大家。外婆還叮囑她要生性，不准令媽咪生氣。太太聽到母親的囑咐後，痛哭起來，阿儀在旁安慰著。

到我醒過來後，太太責怪我，說我把自己的「陰陽眼」遺傳給阿儀了，還質問我前一晚外母「回魂」為何我一點感應也沒有，竟一直抱頭大睡。我聳一聳肩，表示不知道。

我們都以為這次是特殊情況，阿儀之後再不會見到靈體。
沒想到之後的日子她愈見愈多，甚至常被「回魂」返家的
鬼魂上身⋯⋯

▲死者由牛頭馬面帶來陽間，與親人告別。

枉死司機追魂 call

從小到大，筆者都有把離奇新聞剪存起來的習慣。幾星期前，筆者的剪貼簿內多了一則「旅遊巴司機勇救乘客」的新聞，這位司機的英勇行為令我敬佩萬分。這天剛好跟師弟阿峰說起，沒想到這位司機老嚴及其太太也是他的中學同學，而且事件還有後續。

整件事是這樣的：

奪命山泥傾瀉，血肉橫飛

司機老嚴接到一個內地公司團的生意，五日四夜內要一直接送大概一百四十人遊覽香港。在最後一日，他如常接送乘客到下一個景點。突然，當車子駛到山坡旁遇上山泥傾瀉，老嚴設法扭呔，但已經來不及了！沙石從山坡快速地滾下來，其中最大的一顆直接撞向駕駛位，擊中老嚴的太陽穴，他當場死亡。死時他的手依然緊握著呔，及時把車轉駛向遠離山坡的草地上停下。

對於突如其來的意外，車上的乘客感到驚慌。跟車導遊上前查看，發現司機已經血肉橫飛。

　　事後，老嚴的太太找了阿峰幫忙辦理它的喪禮。由於死狀恐怖，家屬取消了瞻仰遺容的儀式。阿峰一邊念經，一邊為老嚴的枉死感到難過。事隔十天，在老嚴「回魂夜」的午夜，阿峰坐在沙發上看電視，突然收到一通電話。他赫然望見來電顯示竟是老嚴的名字！他不敢接聽，但電話卻不斷響起來。到響第四遍後，他才能說服自己說不定是老嚴的太太打來，於是接下電話。

　　可是，電話另一端的聲音不是他人，而是老嚴的聲音……

鬼來電，你敢唔敢接……

　　「喂死仔峰，你那麼晚才接電話，欠揍呀？」一把酷似老嚴的聲音在耳邊響起。

　　阿峰心裡毛起來，想直接掛掉電話，但忍耐著。他希望這只是一個惡作劇，但也理解到沒有人會無聊到拿死人開玩笑。如果是老嚴打來的話，他更需要好好跟它談。他盡量保持冷靜，用平時的口吻說：「有事在處理呀，老嚴。誰像你哪麼空閒？」

它「噗哧」一聲笑出來，說：「別以為我看不到你，膽小鬼，連聽電話也不敢。」阿峰馬上慌張地四處張望，搜尋老嚴到底躲在哪，但毫無頭緒。老嚴譏笑著，說：「我不現身，你又怎樣看到呢？」

阿峰一直以為，以自己膽小的性格，遇鬼時會抓狂尖叫，或者直接拿起「架生」趕走它，可是現在他出奇地冷靜，更乾脆把電話掛掉，對空氣說：「老嚴，有什麼事就直接交代啦，你時間無多啦。」空間中傳來散亂的笑聲，好像有幾個人同時大笑一樣，使他翻了一個白眼。

老嚴回答：「死仔峰，幫我向我老婆說保住架旅遊巴，我會保佑她賺錢的。」正當阿峰想開口問為何不親自告訴她時，它語帶落寞的說：「我現在的樣子會嚇死她，你別說這樣無聊的建議。我已經回家走過一趟，可以放心走啦，你記得幫我提醒她……」

最後，一陣陰風吹過，阿峰聽到身後傳來一響摔破東西的聲音。他走到沙發後方，馬上看到一部斷開兩邊的手提電話躺在地上。而這個型號，正是老嚴用開那款……

「回魂夜」偷窺……

在鄉下地方，村民都會很害怕鬼「回魂」。由於鄉下地方細，很多時鬼魂都會遊村一遍，加上隔音差，無論是腳步聲、鐵鏈聲都一定會傳入屋內。而筆者覺得，鄉下最恐怖的地方莫過於停屍間隔壁的屋，因為停屍間陰氣重，容易有鬼魂集結於附近。儘管如此，仍然有一些會願意買下、租下停屍間隔壁的單位來住，貪其屋租便宜，還遠離其他屋，比較幽靜。或者，有一些人就係「唔信邪」，想試試撞鬼……

中年漢阿陽自命陽氣很盛，從不怕鬼，當他由市區搬到鄉下時，亦毫不忌諱租住停屍間隔壁的單位。夏季有一日，村內的村長因肺癆而死，屍體被送到停屍間內。身邊的好友、鄰居都建議阿陽在村長「回魂」當日避一避，到別人家暫住，但他希望留在家裡，理由竟然是希望有生之年見鬼一次！

其他人都拿他沒辦法，由得他留在家裡，還跟他說如果真的撞鬼的話不要拍鄰居門，沒有人會救他的。可是，他毫不在意，還嘲諷別人膽小！

螢火蟲驚變人影

　　村長「回魂」當晚，阿陽十分興奮，他一直坐在窗前，拉開窗簾觀察停屍間的情況。踏正凌晨三時，原本沒有點燈的停屍間突然燈火通明。他心想終於到戲肉了，趕快拿起望遠鏡偷窺隔壁的情況，沒料到只看到一點綠光。阿陽以為看到螢火蟲，覺得無癮，但那點綠光居然愈變愈大，最後變到有一個老年男人的綠影！

　　他嚇得摔掉手中的望遠鏡，快手拉好窗簾，打算跑上床睡覺。此時，隔壁傳來拉椅子的聲音和陣陣咳嗽聲，由於隔音不好，這些聲響猶如在耳邊響起，他顫抖了起來，想衝去鄰居家躲起來，可是基於面子，他決定一個人撐到清晨。

　　突然，腳步聲和鐵鏈聲響起來，村長開始走出停屍間了。阿陽很害怕它會走進來，止住呼吸，到腳步聲遠離他的房子後才鬆一口氣來。他不斷叫自己快點睡覺，但過了很久也輾轉反側，不能入睡。突然，他又再聽到腳步聲，而且愈來愈近。他心內不斷說「求求你不要過來」，臉色發青，緊張得冒起汗來。鐵鏈聲又再繞過他的房子，走向停屍間。他聽到門關上的聲音後，膽子又大起來，再拾起地下的望遠鏡，打算再偷窺隔壁的情況。

他一拉開窗簾，立即見到村長全身發出綠光，站在窗前跟他對望！他嚇得轉身想跑，但腳好像被鎖著般的，動不了。突然，村長穿牆而出，極速飄了過來，站在他的身前，伸手用力抓著他的手！他被嚇得失去意識，昏倒在地下⋯⋯

慘被鬼玩，全身發冷，手現血痕⋯⋯

翌日他醒來，發現自己竟然躺在床上。他覺得兩邊手也很痛，身體很寒冷，打著哆嗦，想抓起被子蓋在身上，但全身都使不出力，連舉手也做不到！他尖叫求救，過了幾分鐘後才有人注意到，衝入屋詢問發生什麼事。在兩人的摻扶下，他半躺在床上，才發現兩邊手臂也被抓下五條很深近入肉的傷口，才想起前一天被村長嚇暈的情況。

過了一星期後，他不靠別人的摻扶，可以自己下床了，手上的傷亦慢慢好轉。他把自己的情況告訴村內行家，行家阿徹說：「你和村長生肖相沖，一早就應該離家暫避。你還去偷窺它，難怪它會傷你呢。」他點頭表示明白，並聽從阿徹的建議為村長多做一場法事。法事完畢後，他的身體就完全康復。自此，他再也不敢在先人「回魂」時待在自己屋裡，亦再不敢幹偷窺這種事了。

祖先探病驚魂

筆者的「陰陽眼」並非天生，而是十歲那年一段奇異經歷後才引發出來。在過後日子，我見盡許多無主孤魂、冤魂的慘況，令我決定拜師學道，送靈體歸返地府、早日投胎……

因為遺傳的關係，曾祖父、叔叔、姑媽先後因癌症去世，他們生前受盡病魔折磨。在我十歲那年，病魔纏到爺爺身上，爺爺很快便瘦削如柴，看起來只餘下骨頭。最後，爺爺還是戰不贏病魔，與世長辭了。當時，我正在學校裡，沒法趕到醫院見爺爺最後一面。

一群親戚都認為我應在爺爺「回魂」當晚留在爺爺家裡，讓它走也走得安心點。可是，我在它「回魂」前一晚開始失聲，還發高燒，久久不退，到翌日仍沒有好轉。早上我被送入醫院接受治療，留夜觀察，無法去爺爺家。

驚見已死親戚陪行「回魂」

那晚，我仍未退燒，服藥後一直處於半夢半醒的狀態。朦朧間，我突然覺得四周很冷，在我的床邊有很多人在說

話，喋喋不休。我艱難地睜眼，竟然看到很多張熟悉的、瘦削的臉孔近距離地觀察我，嚇得我整個人醒起來！

這些人不就是已過世的曾祖父、叔叔、姑媽和爺爺嗎？！我正要大叫出來求救，但怎也發不出聲音，也因全身乏力，逃不了，只能瞪大雙眼望著它們。爺爺見我神色有異，皺起眉頭，說：「我偷聽到你的父母說你不舒服，有點擔心，所以帶埋其他親戚過來探你。」

多手摸額，後果影響深遠……

其餘三位親戚點點頭，我望著它們，總算冷靜下來，對他們僵硬地微笑。它們好像鬆一口氣，繼續觀察著我的身體情況。雖然四周很冷，但我感覺到身體仍然發燙著。爺爺擔心起來，直接伸手摸摸我的額頭，馬上被其餘三位親戚抓著手拉開。

「這會把陰氣傳過去的！你想害死忠仔呀？」曾祖父大喝一聲，其他人也忍不住大罵爺爺，但我的意識愈來愈模糊，身體變得更難受，時冷時熱，還想吐出來！耳邊的吵鬧聲沒完沒了，我顧不了它們，自顧自閉上眼睛，準備休息。突然，一隻手又再摸我的額頭，可是沒令我感到舒

適。我的身體發冷顫抖，不停嘔吐。那隻手移開了，其餘的人鬧得更大聲。直至有一陣腳步聲傳來，所有吵鬧聲都停了！

朦朧見「鬼差」，日後即見鬼

我強忍著不適，好奇起來，使盡力氣睜開眼睛，隱約看到兩張好長、好黑的臉也靠得很近，對它們說：「他只是接收了一點陰氣，無大礙。你們夠鐘起程，上鐵鏈吧。」

之後，我只聽到幾聲鐵鏈聲和腳步聲。我望向聲音的方向，只見幾個黑影隨著一陣白光消失，我再也撐不住，闔眼睡覺⋯⋯

翌日，我在父母前來探我時已經退燒了。我把爺爺和其他親戚來找我一事告訴他們，但他們不相信。自從這件事後，我便幾乎每隔兩天見到鬼魂一次，直至現在也不時見到⋯⋯

「爲仔死、爲仔亡」（上）

這些年來，筆者見盡不少悲劇因男女恩怨愛恨而生。尤其三角關係，一個自殺了，通常也會做成連環慘案，「回魂夜」一個接一個的被殺，直至三人共赴地府為止。

早前，筆者的世侄剛好就遇到這種事，幸好他的父母有及時請我幫忙，才逃過一劫，保著大命……

親友背叛，傷痛輕生

中七學生 April 和 Betty 從小學開始便情同姊妹，不料兩人同時也喜歡上同班的阿威。可是，April 一直隱瞞著 Betty，假裝自己對阿威沒興趣，聽 Betty 訴說心事。直至聽到 Betty 打算向阿威告白，April 把心一橫，提前一天告白，給果 April 成功奪取 Betty 所愛。翌日，他們在班上公開關係，Betty 十分難過，但 April 跟她說是阿威向自己告白，不狠心拒絕才答應跟他拍拖，Betty 信以為真。

過了幾天，有幾個同班同學不忍心 Betty 被欺騙，決定把真相告訴她了！Betty 從沒有想過 April 會欺騙自己，心痛欲絕。她在中午看到阿威和 April 互相餵食午餐，終

於受不住打擊，跑到天台跳樓自殺，死狀恐怖。

April 被 Betty 自殺一事嚇壞了，總覺得 Betty 會回來找自己報復，整天疑神疑鬼。可是在阿威面前，她假扮表現得很傷心，以免他發現自己有什麼異樣。

中獎獲公仔，招來惡運

在 Betty 死後十五日的晚上，April 和阿威約好了去連鎖式遊戲中心玩。但不知如何，他們每玩一款遊樂設施，到中途機件總會故障失靈。他們自認倒楣，只好玩唯一不是機械控制的「拋彩虹」，打算快快拋掉所有金幣離開。沒想到拋到最後一個時，他們竟然中了大獎，奇怪的是，無論是大獎、中獎、小獎可以挑選的公仔全是 Betty 的最愛！April 不想帶公仔回家，但這畢竟是與阿威拍拖後收到的第一份禮物，她怎也得要接受。

April 被迫抱著一個跟自己差不多高的熊仔公仔，跟阿威一起散步回家。剛好 April 家附近有一個沙灘，阿威建議到此處談心、看星星，她沒有拒絕。在他們漫步沙灘時，那隻巨型熊公仔突然動起來，手腳纏著 April 不放，還想拖她下海裡！

　　阿威非常驚訝，想伸手把 April 扯回來，但熊公仔變大了，把 April 整個人包著，一步一步的拖向海裡。April 不斷掙扎，阿威見女友好像快不能呼吸，也衝了過去，大吼一聲：「你到底是什麼？！快點放開她！」

覺得遭受背叛，埋下報仇種子

　　他用力拉著熊公仔，不讓它再走向大海。可是，熊公仔力大無窮，把阿威單手捉住，摔到沙上。阿威愣在原地，而 April 見到男友再也不衝過來了，以為他怕死，已

▲「你出賣我，我死都唔會放過你......」

放棄拯救她，她不斷痛苦大叫，痛哭求救。忽然，她聽到 Betty 的聲音從熊公仔身上傳來，說：「被自己身邊的人遺棄的滋味如何呀，April？」

April 頓時嚇得發出不到任何聲音，熊公仔一邊嘲笑著，一邊把 April 拖進海裡，邊行邊說：「我們是好姊妹，怎可以我死了你不下來陪我呢？」April 聽見它的話後，不斷搖頭，求 Betty 放過自己。直至 April 的頭被海水淹沒，沒法發出聲音。她幾經掙扎也逃不開，只能閉著氣，但撐不了多久。

她臨死前，她清楚見到眼前的熊公仔慢慢變樣。Betty 那一張血肉模糊、雙目無瞳的臉呈現在她面前，帶著一個詭異恐怖的邪笑⋯⋯

「為仔死、為仔亡」（下）

由於班內有兩個學生於一個月內相繼死亡，使全班師生陷入一片愁雲慘霧。經歷了沙灘慘劇後，阿威已被嚇得神神化化，性格變得孤僻起來。儘管如此，班內幾名女生仍然覺得阿威才是最應該死的那個人，不斷鼓吹其他人排擠他。

不分日夜，怨靈就在身邊……

阿威覺得自己快要瘋掉了！同學們的排擠固然令他崩潰，更可怕的是，他在學校的每分每秒也見到 April 的身影，它用充滿怨恨的眼神瞪著他。好不容易才捱到回家，阿威又不斷夢到 April 被 Betty 揢死的畫面！

Betty 那張恐怖、令人心寒的臉和笑容，每每使他也在尖叫中驚醒過來，沒法止住顫抖，渾身不斷冒冷汗，還有一兩次直接吐在身上。他的父母聽到尖叫聲後都衝過來，看他的情況，心疼極了，幾經追問下才能迫他講出發生什麼事。他們得知真相後，翌日早上立即捉著阿威到我的家裡，希望我可以幫手化解這事。

基於阿威的父母是我的好友，我不好拒絕，了解完事情始末後，我估計「回魂夜」那天阿威會被 April 鬼魂纏著，甚至被殺死！我數數日子，算出後天便是「回魂」正日，於是決定讓阿威留在我家裡，以免他被纏著時求助無門。

客廳驚變血池

當晚，我安排家人到阿威家暫住，家裡只留下我和他兩人。踏正凌晨一時，室內的溫度急降，寒冷得使我和阿威牙關發抖。突然，正門被重物撞開，全身發腫、由頭到腳全是血紅色的女鬼站在門前，血紅的眼眸望向我們，露出恐怖的邪笑！

我冷靜地把符貼在我們四周，暫時阻止它衝過來後，使用令旗趕它走。它不願離開，對我的舉動生氣起來，怨氣不斷湧出，一股血紅色的怨氣包圍它，再擴展至整個客廳，使整個客廳的畫面猶如血池般的。我錯愕地望著四周，心想這鬼也不是等閒之輩，準備拿桃木劍出來。而阿威嚇得顫抖，尖叫著，躲在我身後不敢動。

要脅殺人，迫我交出男友性命

忽然，客廳裡除了我們坐著的沙發外，所有東西慢慢浮起來。在快碰到天花板時，極速摔到地下！同時，April 亦衝向我們，它被符咒彈開後，對我吼著說：「臭道士，你別多管閒事！放他出來，不然我去他家將你女兒和太太拋出窗外摔死！」

我目瞪口呆，瞄瞄旁邊的阿威。他不斷搖頭，抓緊我的衣袖，求我別放他出符咒外。我沒法見死不救，只好假裝考慮放他到女鬼身邊。好不容易才捱過幾分鐘，April 的忍耐到了極限，決定飄出門，到阿威家捉著我的女兒和太太。我情急起來，想拉起阿威作勢拋出符咒外，赫然見到門外遠處有一道白光出現，兩道身影從地底升起！

阿威也看到遠處的景象，馬上尖叫，昏倒在我身上。我放鬆起來，與「鬼差」一同把它捉著、鎖起鐵鏈，把它拖進白光裡，讓它跟「鬼差」一同沉入地底，離開人間……

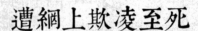

遭網上欺凌至死

筆者喜歡交網友，網路上我可以認識到不同階層、不同遭遇，甚至不同種族的人。但我建議各位不要跟網友有太深入的接觸，說話要謹慎一點，以免禍從口出！

醜女不堪受辱，吊頸身亡

清慧一向也有上討論區和四處到訪別人的網誌和相簿的習慣，每每見到一些不美、不帥的人的照片，她也會嘲笑一番，甚至會放上各大討論區，供大家「品評」。

有一天，清慧瀏覽一個網上相簿，相簿主人冰冰其貌不揚，她生了惡作劇的念頭。首先清慧加入冰冰的 MSN 假意跟她談天交往，然後套取她個人資料再放到各大討論區裡，還慫恿其他網友一起加冰冰為好友，玩弄冰冰的感情！

冰冰不知道自己已墮入圈套，只覺得奇怪，為何突然有哪麼多網友想結識自己呢？她不以為意，把這些新網友全部加進自己的好友名單裡，還跟他們逐一交談。

過了兩天，事件居然愈鬧愈大，有一本雜誌以「醜女被玩懵然不知」題做封面，還把冰冰與 MSN 網友談情的過

程圖文並茂地刊出！冰冰翌日經過報紙攤時，驚見自己上了雜誌封面，馬上連學校也不回，直接低著頭跑回家，生怕有人認得自己。

在這一天，她收到的電話和短訊，比她過去一年加起來的更多。她想上網逃避現實，又發現每一個大型討論區也在拿她的事討論嘲笑。到晚上，她終於見到清慧上線，馬上質問清慧為什麼要這樣做，清慧說：「去死啦！你放得上網就預咗被人恥笑，更何況像你這種醜女我不放到討論區，其他人都會放啦！」

冰冰看到她的話後，終於受不住打擊，留下遺書吊頸自殺。翌日，冰冰自殺身亡的新聞被某報紙放到A1頭條，清慧在討論區看到這則新聞，點進去後看到所有網友評語也在指責她，說她是殺人犯。她馬上罵這群人明明也玩得很開心，怎麼有事時就怪到她身上。最終，她也吵不過其他人，生氣地關掉網站。

床前見鬼影⋯⋯

之後十多天裡，她每一晚也夢見冰冰向她哭訴，說死得好慘，要找她陪葬，使她的精神狀態很差。捱到第十六

日那晚，她早早睡覺，居然什麼也沒夢到。可是，房內突然變冷，她冷得醒過來，赫然望見床前多了一個黑影！

她嚇了一跳，馬上尖叫著，身體不斷向後退，瑟縮在床角。床前的人影再慢慢靠近，直接爬上床，趴到她身上！清慧不斷掙扎，但趴在身上的鬼立刻纏著她的手腳，使她動彈不得。她恐懼地瞪著它，它偏頭回望，擋住臉的頭髮移到一邊，她才認出面前的鬼就是冰冰！

離奇慘死，臉容被毀

「你……你為何要來找我？」清慧慌張地問，再想掙扎起來，可是冰冰卻纏得更緊，不讓她逃掉。它的臉上出現狂妄、瘋癲的笑容，它伸出雙手，摸著清慧的臉，輕聲在她耳邊說：「我這種醜女最易妒忌人，我當然要過來令你感受一下醜的滋味……」

突然，它的手指甲增長，嵌入清慧的臉頰內。清慧痛苦慘叫，最後失去意識……

翌日，清慧的母親打開門，驚見清慧已經氣絕身亡。最可怕的是，清慧的臉被無數的抓痕弄得血肉模糊，一大撮的頭髮連皮被扯開，手和腳也有被火燒過的痕跡……

鬼敲窗

筆者每逢在出席中學舊友會,總會想起很多往事。就好似這次,我遇見了曾經非常友好的師兄阿夏,令我回想起他離校後一年,突然致電給我的往事⋯⋯

師兄致電求救

阿夏相信鬼怪之事,他從朋友口中得知我有「陰陽眼」後,幾乎在每天的午膳時間都來找我,想聽我說我的經歷。在師兄阿夏離校後,我和他沒再連絡。沒想到過了一年多後的一個晚上,我竟會接到他的電話,而且第一句就說:「阿忠你要救我呀!」

我嚇了一跳,馬上詢問發生什麼事。他才戰戰兢兢地說:「我不斷聽到有東西敲母親房內的窗戶!我住在三十樓,無可能有人能敲窗!我宜家唔知點算好!」

我覺得奇怪,阿夏的體質一向也不是會吸引靈體的,怎會突然招惹到靈體呢?我追問他最近家裡是不是出了什麼事,他的聲音馬上變得低沉起來,急著說:「我的母親在半個月前因病過世了,但這沒關係吧?!」

最後，在我不斷追問詳細情況下，他向我交代了這兩天的事。

連續兩晚不斷撞窗

話說，前一天晚上，他待在家看電視時，莫名聽到母親房間傳來敲窗聲。他起初不以為意，可是隨著敲窗的聲音愈來愈大，他便到房間裡，望著窗外，什麼也沒看到。但在他一邊望時，窗外的敲窗聲也沒有靜止，還變得頻密！而且，連續兩晚如是！

到這晚，他由晚上十時開始又聽到母親房內有聲了，而且這次聲音很大，好像是拿著重物砸向窗、或人撞窗一樣！他驚恐失色，跌跌撞撞的衝回客廳裡，唯一想到能求救的就只有我，便致電給我。

幸見最後一面，母安心離開

我請阿夏開窗，看清楚巨響是否由其他東西造成。他小心翼翼地開窗，沒有看出異樣。我再問他辦喪事的道士有沒有告訴他亡母「回魂」日子？他跟我說沒有。我馬上猜想這兩天正是伯母的「回魂夜」，馬上吩咐他點一支大

洋燭或粗香在門外，再入房看窗外情況。他聽從指示做，再入房後果然在窗外見到亡母充滿淚痕的臉！

他立即伸手開窗，但窗外的亡母大叫說：「不用開窗，我要走啦。衰仔你一個人生活下去也要小心點，咪要我掛心——」我隔著電話也聽到阿夏嗚咽起來，不斷打著窗戶，叫喊著伯母的名字說不要擔心，會好好過日子，不會做出令它擔心的事。我漸漸聽到阿夏的哭聲愈來愈大，伯母道別的聲音也逐漸遠去。最後電話裡頭只餘下阿夏的哭聲，沒再聽到伯母的聲音了……

隔日，我再收到阿夏的電話。他感謝我的幫忙，說如果沒有我幫忙的話連亡母最後一面也錯過了！我跟他說不用謝，最後安慰他數句後掛掉電話。

外籍少男遭色中餓鬼狼噬

今天，我突然收到一封充滿錯字的感謝信。最後，看到來信人署名是 Joseph，我才記起早幾日在中環救了一個外國少年，把纏在他身上的女鬼趕走……　.

女鬼飛擒大咬，少年陽氣被陰乾

前日，晚上我一個人閒逛中環，正打算乘車回家時，外國少年 Joseph 跟我擦身而過。他經過時，我全身「起晒雞皮」，回頭一望，赫然見到一隻年近四十、全身呈半透明的女鬼伏在他背上。我馬上叫停 Joseph，他疑惑的轉身，我才發現他的氣色差得開始發黑。而伏在他身上的女鬼沒為意我，不斷伸出舌頭舔他的臉和探手進他的衣服內亂摸！

我心想這種「色中餓鬼」居然找一個少年下手，這種行為實太無恥了！於是，我詢問 Joseph 是否覺得背脊很重，好像有東西壓在身上般的。雖然他對我的問題感到奇怪，可是仍然回答，說自己覺得很重很累。我直接跟他表明身分，也交代了他目前被鬼纏身的情況，請他跟我一同

走到附近的公園。

他半信半疑的盯著我，表示覺得中國道士這種職業很神奇，又覺得自己的情況不可能是遇鬼，只是過分疲累而已，但仍跟我一起走入公園。同時，那隻年近四十年的女鬼不斷瞪眼警告我，迫我不要再對 Joseph「胡言亂語」，還說：「過了今天我就要跟牛頭馬面走，你咪阻住我玩他！」

女鬼被封印惱羞成怒

我聽到女鬼的話後，更覺得它不可理喻，一邊跟 Joseph 說不要害怕我所做的事，一邊用劍指憑空畫符，想把它趕走。它不願離去，不斷躲避，還藏在 Joseph 背後，打算把他當作盾牌。幸好符咒對人類無礙，我直接指向 Joseph 的方向，雖隔了一重，符咒的強度不足以趕走它，但可把它彈倒在地，露出真身！

Joseph 對我的舉動一頭無緒，突然他見到一雙手環著自己的頸，馬上驚慌失措，不斷胡亂拍打自己的肩膀，直至肩上重力消失，趕緊逃到我的身後。女鬼見我壞了它的好事，心有不甘，便悲恨交加的大吼：「把我的玩具還

給我呀！你這個人渣！」忽然，公園裡的垃圾筒和長椅凌空飛起，通通丟向我！

　　我把受驚過度的 Joseph 一同拉開，以免受傷。我不希望它煙消雲散，只使出「寶鼎印」把它困在原來動彈不得。我回頭觀察 Joseph 的情況，發現他的臉色仍不太好，這數天還有被孤魂野鬼纏身的可能。我幾經思考下，把卡片交給他說：「如果這兩、三天有其他靈體纏在你身，馬上打給我，知道嗎？」

　　他戰戰兢兢的點頭，問我是不是可以回家了，經我同意後失神離開。我坐在公園裡，好不容易等到「鬼差」來到，把這個「色中餓鬼」帶走。

幽靈淚淹神枱

死者「回魂」除了為了見親屬最後一面外，還為了交託身後事。只是，大多數死者不能跟親屬面對面交談，只好透過其他人託付遺言。就筆者所知，由於小孩最容易遇見靈體，所以託話人往往由他們擔任⋯⋯

阿潔與阿敏情如姊妹，兩人生子育女後，阿潔的女兒晴晴跟阿敏的兒子阿豪常常一起玩耍，感情要好。不料，在孩子們九歲那年，阿敏突然心臟病發，一命嗚呼。九歲小孩已經明白何謂死亡，痛失母親的感覺徹底把阿豪擊垮了！阿豪每天也把自己關在房裏，抱著母親生前最喜歡的箱子，尋找能開箱子的鑰匙，任他的父親怎樣哄他，也不願走出房。

晴晴對阿敏姨姨的死亡感到難過。晴晴想到阿豪家找他，可是母親阻止她，說：「妳乖，不要『扭計』，過到去會打擾到阿豪和叔叔喔⋯⋯」她見母親因阿敏姨姨去世哭得紅腫的眼睛和日漸消瘦的臉，只好聽從母親的話。

鬼影憑空消失

之後幾天，親屬們替阿敏辦理喪禮，阿豪渾渾噩噩的度過那幾天，一直躲在房內找鑰匙，卻仍找不到。在阿敏「回魂」的晚上，晴晴終於忍不住偷偷出門，走到阿豪家外。她不斷敲窗，過了一會阿豪才爬到窗邊。晴晴叫阿豪讓她進去，他直接拒絕。

忽然，晴晴看到了阿豪的母親在走廊經過！她興奮不已，跳起來跟阿豪說姨姨就在這裏，沒有離開人間。可是等到阿豪探頭出來，他的母親卻不在晴晴所指的地置。阿豪對晴晴破口大罵，趕她離開，她哭喪著臉，走回家睡覺。

凌晨有鬼站在你床邊……

凌晨，晴晴突然被一陣寒風冷醒，她睜開眼，隔著白色的蚊帳，又見到阿豪的媽媽了！它站在床邊，一臉憂愁，欲言又止。晴晴想衝去拉著它，帶它到阿豪面前，可是全身僵硬，嘴巴亦發不出聲音。寒風吹開了蚊帳，阿敏輕輕的飄近，俯身對晴晴說：「姨姨要走了，替我跟阿豪說鑰匙就在枱燈的底下……」

晴晴想開口留住姨姨時，它又憑空消失了。晴晴發現自己可以走動和發聲後，馬上爬起來，不斷大叫阿敏姨姨的名字，然後嚎啕大哭。阿潔被女兒的叫聲和哭聲吵醒了，跑過來問發生什麼事。晴晴抱著母親哭著，說見到阿敏姨姨站在床邊，可是自己留不住它。阿潔被她的話嚇得六神不主，失神的哄她睡覺。阿潔回房後輾轉反側，憶起往事，傷痛不已。

遺照淚染神枱

第二天，晴晴又偷偷去找阿豪，告訴他半夜發生的事。他半信半疑，走向枱燈，竟然真的找到了打開箱子的鑰匙。阿豪打開箱子，見到內裡全是自己和母親的合照和母親的嫁妝時，失控大哭。

他蹣跚地走出房間，站在母親的遺照前打算致謝時，赫然發現，母親的眼角流出了淚水，沾濕半張神枱……

搵替身驚魂

「爸爸，今日我幫咗兩個哥哥呀！」

下午六時多，女兒阿儀興高采烈的跑過來我和太太身邊，我摸摸她的頭，問她怎樣幫人了？她回答我說：「哥哥佢哋見唔到有一個怪叔叔想跟他們入廁所，我走去阻止他們入去囉，我叻唔叻呀？」

鬼跟你回家……

太太十分感興趣，問她整件事的始末。她咧嘴而笑，跟我們說：「今日五時放學，我見到那個叔叔站在樹下不動，盯著廁所，一有人接近門口就想追過去，當發現不入廁所時又退回樹下！我跟朋友說這件事，但他們說沒有人在樹下，只有我看到。我為咗唔俾怪叔叔奸計得逞，我一直站在他對面，觀察他的一舉一動……」

我沉默起來，心想這女兒又見鬼了。阿儀亦沒再說話，突然一直望出窗外，我跟隨他的視線，看到一個皮膚灰色、衣衫襤褸、手和腳也包滿繃帶、只有一隻眼睛的男人飄在半空，一臉怒容！女兒大叫，指著窗外人說：「就是這個

怪叔叔了！」

太太沒有陰陽眼，看不到窗外有人，可是也猜到鬼魂跟阿儀回家了！她把阿儀拉入房內，關上門以免鬼魂再騷擾阿儀。而我則走到陽台，跟靈體直接對話。

男鬼惱羞成怒

「先生，我知道小女惹到你，可是也犯不著跟她回家吧？」我直接跟靈體談判，沒想到這個靈體聽到話後變得更生氣，厲眼瞪著我，吼叫說：「我本來可以捉到人做替身的，你的女兒害我失去了機會！」

我阻止自己冷笑出來，回瞪他一眼，說：「你本來就不應找替身，你已經死了，等夠日子就歸返地府，離開人世。」豈料靈體不知悔改，發飆大吼：「你管我做什麼，總之我現在要找一個人做替身，不然再過幾分鐘牛頭馬面就會前來捉走我！你給我滾開，我現在就要入去捉你女兒做替身！」

我情急生智，既然只餘下數分鐘，不用趕盡殺絕，拖延時間等牛頭馬面出現即可，於是我對靈體說：「我女兒到底怎樣惹怒你了？」幸好它不太聰明，不知我在敷衍它，

馬上回答我：「我本來只想趕在『回魂』之前，抓著一個十多歲的男生做替身，你女兒卻捉著兩個走入廁所的男生，跟他們說不要入去，還把我的位置說出來，害其他男生都不敢入這個廁所和走近樹下！這樣你滿意了嗎？」

痴情漢為見女友，搵替身

我繼續追問，以圖再拖延時間時，它好像看穿了，突然變得很暴躁，竟然隔空取刀使勁揮過來！我閃過它的攻擊，直接拿起符咒按在它身上，它馬上發出慘痛的叫聲，趴在地上動不了。我等到它已經虛弱得再撐不起身，才放開它。

靈體的身體不斷抽搐，咳嗽起來，我無視它的情況，一直等「鬼差」出現。突然，它開口說話，還一邊說一邊哭泣：「我……我只是做鬼做得好辛苦，想早點投胎，跟女友再續前緣……」

我望向他，知道自己怎勸也勸不了這種痴情漢，輕嘆一口氣。等到牛頭馬面前來捉人，我目送痴情漢被它們抬走後，回到房內向太太交待事情始末。

狠姊復仇殺嬰記

死者「回魂」時，筆者從不建議嬰兒待在死者家裡，因為當嬰兒呆望著一個方位傻笑時，代表什麼大家心中有數。所以如非必要，大家最好也別把嬰兒留在死者家裡，以免嬰兒見鬼，大人受驚……

怪罪嬰兒，要他一命賠一命……

對於中學生 Hana 來說，這星期的經歷實在太多。在弟弟剛出生後、被帶回家翌日，爺爺卻在家裡因急性病離世！

Hana 悲慟不已，並認為弟弟是剋星，會為家裡帶來厄運，因此對弟弟非常怨恨，即使父母要她抱抱弟弟她都耍手不願！她甚至每每等到父母不發覺時，把一些波子和大顆糖果硬塞到弟弟口中，想令弟弟窒息致死，實行要他一命賠一命！但每一次當 Hana 望見弟弟的面色因窒息轉為紫紅時，都好像有神護體，暗中把他的喉中物挖出來！最後，弟弟嚎啕大哭的聲音往往把父母驚動過來，害她被父母責罵。

Hana 心想這弟弟一定是衰神，帶衰自己和全家的，一直也不願接近他一步，以免自己再「受災」。直至爺爺「回魂」當晚，她才被迫跟弟弟同房。她不甘不願的走到離弟弟最遠的位置睡覺，管不了大人的責備。

凌空鬼手陪你玩

到了半夜，Hana 感覺到一陣陰風從門蓬吹入房內，她不以為然，只以為有人在廳內開冷氣，繼續閉眼休息。可是過了幾秒，她開始聽到弟弟在吃吃笑，心想這個小鬼怎麼半夜瘋掉了。正當她轉身想給弟弟摑個耳光時，發現弟弟一直盯著某個方位。她跟隨視線觀望，發現該處有一雙手凌空浮在半空，不斷做出拍手的動作！

Hana 一邊拉緊被子，一邊念經，冷不防那雙手竟緩緩靠近，最後停在她的頭頂。她忍著不要發出尖叫，緊緊閉眼，假裝自己仍在睡覺。過了一會，她小心翼翼的探頭出被外，發現那雙手還在自己頭頂不動！

鬼手安慰，愈摸愈心慌……

她想逃跑，但身體僵硬動不了。忽然，她的耳邊傳來

爺爺的聲音，說：「乖孫，你不准再欺負你弟弟了。我的死不是他的錯，你明白嗎？」Hana 以為自己累得產生幻覺，搗住耳朵不斷安慰自己。那雙手不斷輕摸 Hana 的頭，好像想安撫她的情緒，反使她更害怕。

一會那雙手移開了，有一隻小手竟然伸過來，不斷拍拍 Hana 的臉。她迫著睜開眼睛，捉著弟弟的手，才發現弟弟就是被那雙凌空的手抱到自己面前！她用力把弟弟從那雙手到扯過來，抱緊在懷內，便聽見爺爺說：「我安心走了，好好照顧弟弟……」

同時，Hana 眼前的那雙手化為白煙，消失得無影無蹤。她吃驚起來，低頭檢查弟弟有沒有受傷。她只見弟弟全身安然無恙，口袋裡放滿爺爺最愛的糖果。她才相信剛剛抱著弟弟的人真的是爺爺，即使是死後，爺爺最擔心的仍是 Hana 和弟弟的關係，解開 Hana 的心結後，便了無牽掛，安心赴黃泉……

鬼聲魅影

正如前文提及，男女恩怨愛恨造成的悲劇多不勝數。慘遭拋棄的那方一想不開，為情自殺，「回魂」當晚會是另一個悲劇的開始。尤其是近十年，愈來愈多青少年視情愛為遊戲，交往不到一個月便拋棄對方，對方為情自殺，造成更多悲劇，週而復始，循環不息……

慘變「雙失」，少女留血書自殺

某校合唱團團長 June 的歌藝在校內數一數二，凡是合唱團的領唱、獨唱等等，只要由 June 負責，該團必定坐亞望冠，為學校勇奪獎座。數月前，老師安排她在校際音樂節合唱組領唱，期望合唱團仍可像往年一樣得到獎座。但不知道為何，June 在比賽前幾星期的練習都沒有出席！

在比賽當日，June 她珊珊來遲，老師怒火中燒，可是怕在比賽責備她會影響到她的表現，只薄責了兩句，便讓她作上台前的準備。在比賽時，June 開口領唱，但她的歌聲竟十分沙啞，不像過往的甜美。結果，比賽中也只得

到第五名。

在賽後，老師和學姊們幾經追問，June 才告訴她們，自己被男朋友偉強拋棄了，傷心過度，每夜也不斷哭叫，傷了聲帶。老師對她失望透了，再也沒讓她擔任領唱。在受到失戀和失去老師信任的雙重打擊下，June 一時想不通，自殺身亡。June 留下血書，書中指控偉強貪新忘舊、見異思遷，還說他會不得好死，就算她死了也不會放過他！偉強收到 June 的死訊後毫不在意，心想並非自己的問題，不用把責任攬上身。

鬼唱「搖籃曲」，負心漢死於非命

在 June 死後數天，其他同學都斷斷續續在學校各處聽到沙啞的歌聲，偉強也不時在所住的大廈門前和家門外聽到 June 的聲音，不斷哭著自己的名字，該坐大廈的看更甚至每晚也見到一抹紅衣鬼影，徘徊在走廊中。在 June 死後第十三天，偉強早早熟睡，半夜突然有一把女聲在他耳邊喃喃歌唱，那首歌正是 June 的比賽歌曲！

偉強被歌聲弄醒，立即被身旁的紅色鬼影嚇壞，聲音也發不出來！他認得鬼影手上和腳上的鏈子是自己送贈給

June 的，馬上得知身旁鬼魂是 June，想使勁推開它。但身旁鬼魂馬上跨坐在他的身上，手環緊他的頸，使他想逃也逃不掉！他不斷掙扎，可是 June 變得力大無窮，不論他怎掙扎也反抗不了。

他被 June 迫得崩潰大哭，大叫求饒：「求吓你，求你放過我 ——」但 June 依然趴在他身上，目無表情，繼續高歌。偉強還想開口求饒時，他望見遠處有一把菜刀漸漸飛近，直至飛到他的頸上。最後，那把刀垂直墜落——噗！

翌日早上，學校操場驚現無頭男屍，而當合唱團的團員打開音樂室的門時，偉強的頭從天而降，掉在地下滾動……

死剩把口……

阿陳自父母離異後，被安排到舅父家寄住，舅父、舅母視他如己出。在寄住第五年時，舅父和舅母因交通意外離世。喪事完畢後，表姊因怕「回魂」撞鬼，離家到酒店暫住，只留下阿陳和表弟阿漢。他們一方面想看看「回魂」是否真有其事，另一方面希望可見到親人最後一面。

無人客廳驚傳對話聲

在舅父舅母「回魂」當日，阿陳除了準備好一般祭祀用品外，還提早把舅父最愛的捲筒草蓆和舅母最愛的藤椅放在廳內，方便先人使用。「拜回魂」後，阿陳和阿漢兩人一起擠在同一間房、同一張床上，以作壯膽及方便照應之用。半夜，阿陳被客廳的電視聲吵醒。他半夢半醒，看到手錶，發現是二時多後，想大叫出去，好讓廳內人弄細聲一點電視。阿陳猛然想起家裡現在只餘下自己和阿漢兩人，那在客廳看電視的人是⋯⋯

阿陳頓時狂飆冷汗，坐在床上不敢動。他記得這個時段是舅母最愛看的劇集播放時段，因此想仔細聽清楚廳內

情況再作打算。他漸漸聽見廳內藤椅前後晃動的聲音和鋪草蓆到地上的聲音！突然，有一把低沉的男聲說：「衰婆，你部電視教細聲一點啦，我宜家好眼瞓呀……」

一把尖銳的女聲馬上吼回來：「今日喺最後一日啦，過埋就冇得再睇，你俾我追埋套劇，你啲鼻鼾聲咪嘈住我呀！」

阿陳認出那兩把聲音是舅父和舅母的，使他更肯定廳內的正是舅父和舅母！阿陳六神無主，只想到可以搖醒阿漢，壯壯膽子。可是不論怎搖，阿漢也醒不來。他聽到一陣腳步聲和拖著草蓆聲音逐漸靠近，還邊走邊碎碎念：「衰婆，可唔可以搵一日係唔鬧我嘅……」

阿陳望見門蓬的光線被黑影擋住，心裡發毛起來，害怕舅父會進入！門外傳來躺在草蓆上的聲音後，就只餘下藤椅搖晃和劇集的聲音。他一直坐在床上，留意著門蓬透進來的光線有沒有變化，同時看著手錶，心想希望快點捱過這晚。

陰風陣陣，耳邊有人說話……

阿陳好不容易捱到四時，忽然電視機和藤椅的聲音也

靜止了，門蓬亦沒透入光線！他聽到腳步聲慢慢由遠到近靠過來，停在門前，好像踢到什麼重物。門外的舅母說：「喂！死佬，咪再瞓，夠鐘走啦！」然後門外再傳來舅父打呵欠、拖草蓆遠去的聲音。霎時室內一片寂靜，一股陰風突然捲入房內，阿陳的耳邊有兩把聲音說：「再見啦，阿陳，幫我睇實阿漢同你表姊呀……」

　　阿陳全身僵住不動，眼瞄向四周，可是什麼也沒看到！等到那陣風捲出窗外後，他才能鬆一口氣，躺在床上睡覺。翌日，阿陳醒來後馬上搖醒阿漢，跟他說舅父舅母的事。阿漢半信半疑，但當他們走出房門後，望見沒有捲好的草蓆和被移到電視前的藤椅，阿漢終於不得不信父母「回魂」的事實……

「回魂」勸瘋母

在現今社會，父母對子女的要求愈來愈多、嚴格。有些兒童在一、二歲開始一星期七日每天也要去不同的興趣班，不但兒童辛苦，管教的家長也十分辛苦。其實，我覺得無論如何，父母對子女不應施以太多的壓力，以免釀成悲劇。幾個月前，我接了一宗生意，令我更深刻體會到這個道理……

嚴母迫死幼女，終變瘋癲

小雪是家中獨女，父母對她期望很大。小雪入讀小學後，她的母親阿霞變本加厲，要求她每一科的成績都要在九十分以上，還要她參加更多興趣班和補習。每一晚，年幼的她做好功課和溫習後已經凌晨一時多了！阿霞不但沒有體諒她的情況，甚至還覺得是她做事效率低才弄到那麼晚，有時生氣起來甚至會拿起雞毛掃打她。

小雪支撐了好幾年，到小六那年終於被沉重的精神壓力拖垮，不論成績、鋼琴和體操也毫無進步。這天，母親一怒之下，隨手拿起衣架，一邊打一邊罵她是廢物，浪費

自己的錢！小雪忍受不住，當晚即吊頸自殺。阿霞因愛女自殺痛哭流涕，甚至精神崩潰，每天躲在女兒房間抱著公仔，不斷自言自語。

由於阿霞已經失去理智，她的丈夫 David 請我辦理喪事和「回魂」儀式後，也希望我在女兒「回魂」當晚留在他們家暫住，以免出什麼意外。雖然我已經婉拒一次，但見 David 再苦苦哀求，只好答應。

女兒回魂勸母，反被追打

當晚，我替他們準備好「拜回魂」的東西，只是阿霞堅持抱著公仔，不願出來。David 獨自「拜回魂」、回房迴避後，我把布紗掛在廳內，包圍沙發，然後閉目養神靜靜地等著。時辰一到，我便聽見客廳窗戶被拉開，睜眼發現矮小的身影已走入廳內，準備入房。我叫著它，說：「你的母親還在房內，她情緒不穩，會受不住打擊，你小心一點。」

黑影對我點頭，直接穿門而入，隔了一分鐘還沒有什麼動靜。突然，房內傳出刺耳的尖叫聲。小雪隨即跌跌撞撞的跑出房外，它的母親阿霞緊隨其後，一邊哭叫一邊拉

扯自己的頭髮！David 被聲音嚇醒，也衝了出來，見到太太在追趕女兒鬼魂的畫面後驚慌失措。我也第一次看到鬼魂反被追逐的樣子，加上事出突然，我沒有趕及把 David 拉進布紗後。只見阿霞愈見瘋癲，不時哭叫著女兒的名字，又把手中公仔丟到地上，用力踐踏數下，再跪地抱回公仔。她不斷喃喃自語：「小雪不用怕，母親不會傷害你的……」

小雪見母親瘋掉了，跪在身邊，伸手抱著母親，給予安慰。可是阿霞用力把它推開，對它大聲吼叫：「你別打擾我和小雪，她現在要睡覺，很快就要醒來上課、去補習班！」

小雪聽到補習班後，驚恐顫抖。David 見死去的女兒面有難色，不斷對它道歉，希望它原諒阿霞，並直接把阿霞拉回睡房。我望見小雪失落的樣子，跟它說幾句安慰的話。最後，它望著父母的房門，流著淚黯然離去……

死亡錄影

Emily 和 Michael 剛新婚四個月,本應甜甜蜜蜜的享受新婚生活。好景不常,一天,Michael 在下班回家路上遇上車禍,送院不治。Emily 痛不欲生,可是為了不讓家人擔心,她每天笑臉迎人,強裝堅強。直至無人的晚上,她就抱著 Michael 的遺物痛哭流涕,呆坐到天明。

Emily 雖然十分怕鬼,但為了見 Michael 最後一面,決定在亡夫「回魂」當晚留在家中。親友對她的決定感到擔憂,但她堅持己見,甚至拒絕親友到家相伴!他們無計可施,唯有勸她一旦有什麼意外時要致電求助。她草草答應,讓大家放心一點。

當晚,Emily 為免錯過了老公「回魂」的畫面,她偷偷把兩部攝影機放在客廳和睡房。她準備好儀式用具後,便早早上床睡覺。到凌晨時分,Emily 一直半夢半醒,不斷被一陣陣鐵鏈聲和腳步聲打擾睡覺。突然,客廳、睡房和廁所也陸續出現水聲、翻東西的聲音!她還未清醒過來,只覺得聲音很吵,令她很煩擾。

鬼手摸頭，亡夫細語叮嚀

　　過了一會，翻東西的聲音停下。冷不防那陣腳步聲逐漸迫近，房門亦被打開！Emily 逐漸覺得奇怪，但在不清醒下，她依然沒想太多，翻身再睡。忽然，一雙冰冷的手在撫摸她的臉頰。朦朧間，她看到一個白影在自己面前，耳邊傳來 Michael 的聲音，說：「我已經將你平日經常忘掉的東西放好，以後咪再亂放東西，也別再『大頭蝦』忘這忘那，我不能回來幫你拾好啦……」

▲想用錄影機錄得亡夫回魂的情景，豈料……

她迷糊地點點頭，咕嚕一聲說自己知道了。等到那雙手放開自己的臉，她才意識到是 Michael 的鬼魂回來了！她馬上睜大眼睛，可是白影已經憑空消失，消聲匿跡！她一邊呼叫 Michael 一邊跳下床，找遍全屋也找不見他的身影後，馬上開燈尋找亡夫留下的痕跡，藉以證明剛剛不是幻覺，是真實的。

她望見睡前仍凌亂不堪的客廳變得井井有條，而茶几上多了一個小紙盒，她走上前打開紙盒，看見內裡放置的是自己經常丟失的章印、戒指、飾物，以及一份保險單時，看著看著，淚水止不往不斷落下。她哭累了，伏在茶几下睡著，突然，鐵鏈聲和腳步聲再次出現……

攝影機同時失靈……

翌日，Emily 發現自己不在客廳，竟然是睡在床上！她走到客廳，看著茶几上的盒子，突然想起自己曾在客廳和睡房偷放攝影機。她馬上把兩部機連接電視，觀看前一日的拍攝成果。結果兩段影片也在凌晨一時閃過一抹白影後，一直只呈現一片漆黑，直到三時才回復正常，而客廳亦由一片狼藉，變得乾淨條理……

鬼上司死纏不放……(上)

筆者認為做人應該要有口德,人與人之間亦應該互相尊重。就算滿腹牢騷,也不應在網上出言不慎,否則隨時會招來惡果。我其中一個有「陰陽眼」的朋友 Nicholas 在一間核數公司工作,剛好親眼目睹一個人因此而亡……

上司猝死,下屬竟狂賀

Daniel 因為長年工作過度,身體支撐不住,終於有一日在加班期間猝死於公司內,下屬發現時已經是第二天的早上。一眾同事在喪禮上夾錢做帛金給 Daniel 的家屬,Alex 卻堅持不出席喪禮、不付帛金。事後有同事發現原來 Alex 一直在個人網誌上撰文恥笑 Daniel 為公司賣命,說這種人愚蠢極了,甚至在 Daniel 死後發了一個「狂賀」的主題,說公司的蠢人終於真的為公司賣命至死。一群網友和他的同事看不過眼,紛紛留言指責,可是 Alex 無視大家的留言,我行我素,繼續發留言冷嘲熱諷。

在 Daniel 死後第十多日,Alex 被上司強迫加班,他一邊工作一邊埋怨上司決定。但離奇的是,工作效率偏低

的 Alex 這天好像如有神助，平日可能要一、兩天才完成的工作，這天居然花了不到三小時便做好大半了！他覺得自己好像控制一樣，完全不用花力思考和打字，十分輕鬆自在，只是覺得肩膀和頭很累很重，猶如被重物壓著一樣！

亡魂纏身，控制你身體⋯⋯

他伸手按摩肩膀，但怎樣按還是感到一股重力壓在身上。他正想找人幫忙按摩時，同事 Nicholas 剛好買外賣回公司。眼前的景像，令 Nicholas 的臉綠了！

Nicholas 看到 Daniel 竟伏在 Alex 肩上，手緊緊握著 Alex 的手，整個頭壓在 Alex 頭頂！可憐 Alex 卻懵然不知！Nicholas 差點想把外賣丟掉，直接奪門而出。但一想到 Alex 可能會有生命危險，就硬著頭皮留在辦公室。他強作鎮定，低頭不語。Alex 嚷著要 Nicholas 按摩吓肩膀，Nicholas 都沒有理會，繼續留守自己的位置，只不時偷偷瞄著 Alex 和 Daniel 的情況⋯⋯

Alex 怨言幾句便繼續工作，Daniel 不知道 Nicholas 看到自己，邪笑起來，繼續操控著 Alex 不斷快速打字。Alex 望見自己的效率愈來愈高，神色愈見興奮，甚至

連 Daniel 隔空取剪刀，不斷亂剪他的頭髮也沒有察覺！Nicholas 一邊工作，一邊偷偷留意 Alex，考慮要不要告訴 Alex 真相，可是又怕惹禍上身！在幾經掙扎後，Nicholas 受不住良心責備，戰戰兢兢地走近 Alex，對他說：「我建議你去搵一搵『師父』睇下，你好似俾嘢纏著……」

　　Nicholas 說完，馬上飛快跑出公司。Alex 沒有理會，覺得 Nicholas 瘋了才亂說話。在完成工作後，飛快跑到廁所，準備小解後便離開。只是當 Alex 每行一步，壓在背上的力就愈大！他小解過後、低頭洗手後，他抬頭望向鏡子，驚見自己的頭髮被剪壞，而 Daniel 就伏在自己身上！

　　他放聲尖叫，伸手想把身上鬼魂趕走，但為時已晚，咔嚓一聲，頸骨被掐斷身亡……

鬼上司死纏不放……（下）

第二天，無人發現 Alex 已死，同事還以為他無故曠工。人事部致電到他的手機，可是沒有人接聽。上司忍不住打電話到他家，而他的家人也說由前一晚開始已跟 Alex 失去聯絡。Nicholas 知道實情，十分擔心 Alex 的情況，但又不敢說出真相，只好假裝漠不關心。

電腦日日出事，男鬼日日恥笑

到黃昏時，離 Nicholas 最遠的女同事突然發出慘叫聲，跑到廁所，惹來大家注目。在兩名女同事追問之下，她才敢說出所為何事。原來，剛才她的電腦螢幕突然關掉，從漆黑的螢幕中竟出現 Alex 的臉！眾人紛紛走前，檢查她的螢幕，可是什麼也看不到。只有 Nicholas 一人見到頸骨斷開兩節的 Alex 正在對眾人弄鬼臉，最後等人群退去後，Alex 躲在一角狂笑！Nicholas 才意識到 Alex 已經死去，想走上前問 Alex 為何會變成鬼了，但下一秒 Alex 又無影無蹤，再看不見。

之後幾日，同事相繼遇到怪事。有女同事的電腦自動

開啟了很多文檔，上面寫滿求愛的訊息，有一些女同事卻收到死亡電郵，恐嚇著要攬住一齊死……同時，亦有男同事在打文件期間突然好像被人抓著手一樣，不斷重覆打著「我死得好無辜、我好慘……」的恐怖字句，嚇得他們尖叫狂呼，四散逃命。每宗怪事發生之後，Nicholas 都瞥見 Alex 躲在一角，恥笑著大家的反應。

指手劃腳，請你上天台尋屍……

連日來，公司上下被 Alex 一連串的惡作劇弄得人心惶

▲不堪被欺凌而自殺的鬼同事，死都要為自己討回公道！

惶，大家都以為是 Daniel 的鬼魂作祟，只有 Nicholas 知道 Alex 才是「主謀」。每當 Alex 的鬼魂出現，Nicholas 都追上前想大興問罪，可是 Alex 一閃即滅，無影無蹤。十天後，全部門只有 Nicholas 一個人沒有被整蠱，其他人也「祝福」他，希望他能安然無恙度過這天。到了黃昏，Nicholas 赫然見到 Alex 出現在身後，十分認真地指手劃腳，好像示意他上天台！

Nicholas 感到害怕，故藉詞上天台抽煙，找了一個同事相陪壯膽。Alex 一直跟著他後面，指揮著他向前行。只要一走錯方向就拍他的頭，直至走到天台一角後為止。突然，一股惡臭迎面襲來！Nicholas 和同事此時才發現 Alex 的屍體躺在地上。兩人的臉色發青，嘔吐大作，等情緒平伏後才報警求助。

口不擇言，累死自己

晚上，Alex 的鬼魂一直跟著 Nicholas。Nicholas 忍不住問它到底為何會被殺，它悶悶不樂的說：「Daniel 早知道我有在 Blog 恥笑他，只是懶得開口責罵。到死後，

他回到公司聽到你班契弟不斷在說我狂賀的事，他怒不可遏，忍不住下手殺我！我的死，是你們害的，我見你班契弟害我害得咁開心，咪日日玩吓你哋囉！」

　　Nicholas 想反斥這是 Alex 咎由自取，但費事跟 Alex 吵架。他再問 Alex 為何在這天，選中自己發現屍體，他說：「今日係我最後一日，我費事方親人幫我收屍、『拜回魂』，咪搵你幫手。你當日見到我被鬼纏的情況，又唔幫拖，我梗係嚇你嘔餐飽，才能發洩我心頭之恨啦！」Nicholas 聽著它的回答，哭笑不得。

　　Nicholas 和 Alex 一人一鬼再交談一小時後，有一道白光出現，Alex 便隨著白光，跟隨牛頭馬面回家見親人最後一面了⋯⋯